本当のウクライナ

訪問35回以上、指導者たちと直接会ってわかったこと

岡部芳彦

ワニブックス
|PLUS|新書

はじめに——ウクライナの英雄の名前が付けられた北方領土の山

2016年7月2日、僕は北方領土の択捉島の地に降り立ちました。この時期、EUはロシアのクリミア併合や東ウクライナへの軍事介入に対して対露制裁を延長するかで議論をしている最中でした。

一方、日本では、ときの安倍首相が5月にソチで行われた日露首脳会談で日露経済交流の促進に向け、8つの項目からなる協力プランを提示し、G7の中で唯一異なった路線を取ろうとしていました。その前後に、当時の僕のゼミの女子学生がロシアの若者の間で日本のアニメが流行っていることを知り、外務省所管の日露青年交流センターが運営する日露青年交流事業に「日露アニメ・オタク文化学生サミット」というプロジェクトを提案したところ、採択されました。

国の予算で、2015年にはモスクワ大学を10名のゼミ生らが訪問し、2016年には神戸学院大学に約40名のロシア人学生がやってきて、このサブカルチャー交流が行われました。同様のプロジェクトは２０１７年にはエカチェリンブルク市で、２０１８年にはニジニノヴゴロド市でも実施されました。

そんな中、国の機関である北方領土問題対策協会より、北方領土でのサブカルチャー交流実施のご提案をうけました。国などが主催する北方領土へのビザなし交流の枠組みで、僕は学生３名を連れて２０１６年に択捉島を副団長として、２０１７年には国後島、２０１９年には色丹島を団長として訪れ、「アニメ・オタク文化青年サミット」を開催することになったのです。

択捉島に着いて、北方領土交流船「えとぴりか」号の甲板から島を見たとき、眼前に広がる雄大な自然の迫力と想像以上の島の大きさに圧倒されました。ひときわ目を引いたのは見た目が富士山にも匹敵しそうな大きく美しい山でした。一緒にいた元島民の子孫の団員に「あれが散布山《ちりっぷさん》ですよ」と教えられました。

岸壁際の建物に掲げられた「択捉島はロシア」と書かれた看板を見て、わざわざ書くこともなかろうにと半ば呆れつつ島に上陸すると、日本のディーラーのシールが貼ってあったのでおそらく中古車だけど、思ったよりきれいなRV車でロシア系住民の若者が迎えにきていました。

ロシア語で「チリップ山は大きいね」と言うと「どの山だ？」と問い返されました。僕が指差しながら「あの山だよ」と聞くと「ああ、あれはボグダンだよ」と言われました。

「ボグダン？」、「そうだ、ボグダン・フメリニツキー山だ！」

その答えに衝撃を受けました。ウクライナ・コサックのヘーチマン（頭領）でウクライナの国民的英雄の名前だったからです。首都キーウ（キエフ）の中心には聖ソフィア大聖堂の前に勇壮なフメリニツキーの銅像がそびえたっています。事実上、ロシアの支援を受けているドネツク人民共和国とルガンスク人民共和国を真ん中にウクライナとロシアがお互いににらみ合う中、そこから遠く８００キロ離れた日本本土からも最も遠い、そしてロシアから見ても最も南に位置する北方領土の地にある山になぜウクライナの英雄の名前がついているのか、すぐには理解できませんでした。

ボグダン・フメリニツキー山（散布山）（2016年撮影）

ちょうど同じ船には元択捉島民の方が乗っておられました。このことを話すと次のような話をしてくれました。北方領土がソ連に占領されたとき、択捉島北部の蘂取《しべとろ》に駐屯した部隊はウクライナ人が多かったそうです。また約1年を経て、ソ連からの入植者は戦火で荒廃したウクライナから送り込まれた労働者がほとんどだったそうです。また、彼らはソ連占領下の日本人より貧しく、女性は下着もつけていない人もいたようです。

択捉島での2日目の活動が終わり、船に戻ると僕とともにその元島民の話を聞いていたロシア語ができる学生団員が「岡部先生、見つけましたよ」とうれしそうに駆け寄ってきました。新聞紙の包みを開けるとなんとウクライナのソウルフードである豚の脂身の塩漬け「サーロ」だったのです。

サーロは、戦争に出かけるウクライナのコサックが持参した保存食でもあり、家庭訪問で土産にもらったロシア製のウォッカとともにサーロを食べると、ウクライナの懐かしい味がしました。

サーロを初めて食べたのは、1992年2月のことです。当時、僕は高校3年生でした。前の年の秋ぐらいに新聞を読んでいると「ソ連崩壊を見に行こう」と若干悪趣味な銘を打ったツアーを見つけました。「これだ！」と思ったのですが、お金がないので父に行かせてくれと懇願しました。すると父は「まあ、行くのはいいとして、大学受験はどうするの？」と聞きました。その時、「大学受験は毎年あるが、ソ連崩壊は一度しかない」と即答したのをはっきり覚えています。それを聞いて、父は「たしかになぁ」と妙に納得し、僕はその年の大学進学は諦めました。

最初にモスクワ、次にサンクトペテルブルクに行きましたが、ソ連崩壊後の大混乱の時期で、ホテルのロビーは明らかに男性客を探す女性で溢れ、停電もありました。大混乱のロシアを後にして、最後の訪問地ウクライナの首都キーウに着きました。ペチェルシク修道院や聖ソフィア大聖堂などその美しさに魅了され、その時、ウクライナに恋をしたのかもしれません。

お昼ごはんを食べに行ったレストランで出てきたのがサーロだったのです。そのときレストランのオーナーから、サーロには悲しい歴史があり、今から60年ぐらい前にウクライナでは飢饉が起こったが、そのとき何とかサーロを食べて飢えをしのいだけど、最後はソ連当局がそれさえ奪ってしまったというお話を聞きました。その時はなんのことかわからなかったのですが、ウクライナの悲劇の一つ「ホロドモール」のことを言っていたことにだいぶ後になってから気づきました。

戦争で荒廃したウクライナを後にして、択捉島に来ざるを得なかった貧しいウクライナ人たち。雄大な散布山に、自由のために闘った英雄ボグダン・フメリニツキーの名前をつけて故郷を懐かしんだウクライナ人たち。そして彼らが伝えたサーロを２０１６年になって偶然食した日本人である自分に不思議な縁を感じました。

そんな彼らの苦難の歴史についてもっと知りたいと思い、国の機関にその調査の提案をしていました。コロナ禍で延び延びとなっていましたが、やっと今年になって再び択捉島を訪れることができそうになった矢先、5月4日、「ロシア連邦への日本政府の政策に対する報復措置に関してのロシア外務省声明」によって、僕は63名中62番目の入国禁止者となってしまいました。ウクライナを通じて近く感じていた択捉島がまた遠い場所となってしまいました。

２０２２年２月24日、ロシアのウクライナ侵略が始まって以降、ウクライナへの関心も高まり、宇露関係も含めてさまざまな著作が出版されるようになりました。報道でも、これまでにはなかったウクライナの政治・経済・歴史・文化を掘り下げるような記事も増えました。

そこで、この本では、基礎的な情報にくわえて、僕がこれまでにのべ35回以上訪れて交流してきたウクライナでの経験や、あまり知られていない、そして知ってほしいエピソードを中心に取り上げます。

多様性の国、また魅力溢れるウクライナの国全体について書くには紙面も足りません。ですので、もう少し理解を深めたい読者向けに、参考となる書籍を、現在の継続中の戦争について書いた第5章を除く各章の終わりにあげておきました。この本が、ウクライナという国を知る入口の一つとなれば幸いです。

2022年5月末日

目次

第4章 なぜウクライナはロシアに狙われたのか
――2014年を境に変わったことと変わらなかったこと――

第1章　まだまだ「知られざる大国」のウクライナ

陽気で、明るく、美味しい国

2022年2月上旬、ロシアによる侵攻の可能性に世界が半信半疑だった頃……大学の研究室に見知らぬ新聞記者から電話がかかってきました。「ウクライナを2文字で言うとどんな国ですか？」

乱暴な質問だなと思いつつも、最初に思いついたのは、ウクライナ国営通信社UKRINFORMの日本人記者の平野高志さんの本の表紙にある「う、暗いな…明るいな！」というキャッチーな言葉だったので「明るい国」がいいかなと思いました。いや、これは3文字だな、「美しい国」、うーんこれも3文字、しかもある元総理の言葉とも被ると考えて、「陽気な国」と答えたところ、「いいですね、それ使わせてもらいます」とのお返事でした。

よく考えるとこれも3文字だったのですが、最近ではほかのメディアでも同様の表現が使われているのをちらほら見かけるようになりました。テレビ出演の際に、あまり尺がないときはウクライナを一言で「陽気で、明るく、美味しい国」と紹介するようにしています。

ボルシチは実はウクライナ料理

美味しいと言えば、2021年3月、ウクライナ文化省は世界無形文化遺産にウクライナ料理ボルシチを申請しました。1584年にキーウを訪れたドイツの商人マルティン・グルネウェグの日記にボルシチが登場しているからです。カタカナで書けば、ロシア語では「ボルシ」に近い発音ですが、ウクライナ語ではそのまま「ボルシチ」です。ですので、本来であればウクライナ由来と気づいてもいいのですが、長らくロシア料理とされてきました。ウクライナの文化や名産が日本に伝わるときは必ず間のロシアを通過していたからです。

それでは誰が日本にボルシチを伝えたのでしょうか。有力な説の一つが、盲目のウクライナの詩人のワシリー・エロシェンコです。

新宿中村屋のウェブサイトによれば、エロシェンコは、日本の盲学校で学ぶため、1

914年に来日したのですが、本国からの送金が途絶えほそぼそと暮らしていました。その彼の世話を、婦人運動家の神近市子や劇作家の秋田雨雀らが、ロシア語が堪能であった中村屋の創業者である相馬黒光に頼んだのがきっかけだそうです。1916年から相馬はエロシェンコを中村屋のアトリエに住まわせ、彼の生活の面倒を見ます。ボルシチは1927年に中村屋の喫茶部（レストラン）開設当時、2大メニューとして純印度式カリーと一緒に発売されました。

この説に従えば、2027年の「ウクライナ料理ボルシチ日本伝来100周年記念行事」の準備を、そろそろ始めたほうがいいのかもしれません。

日本の「隣の隣の国」――地理、経済規模、国の概要

ウクライナという国の概要を簡単にまとめておきましょう。ロシアを除けば、ウクライナが欧州の中で一番面積が広いことはあまり知られていません（約60万3500㎢）。ウクライナの人口は約4400万人でドイツ、イギリス、イタリア、フランス、スペ

インに次いでヨーロッパで第6位、世界では第35位となっています。日本からみれば約8000km以上離れていますが、隣国ロシアの隣の国、つまり「隣の隣の国」ということになります。そう聞くと近い存在に感じませんか？

ロシアの隣国ということならではの共通点があります。それは領土問題です。2014年以降はクリミア半島がロシアに占領されます。これは日本の北方領土問題と重なります。また、チョルノービリ（チェルノブイリ）、福島と大きな原子力災害を経験したという意味でも共通しています。

経済面を見てみましょう。ウクライナは地球の黒土のうち約25～33％を有しているといわれ、穀倉地帯として知られる農業大国です。ひまわり油の輸出は世界第1位、トウモロコシの輸出は世界第3位、また小麦の輸出量は単独の国の中では第5位です。技術面でも世界最大の輸送機An‐225「ムリーヤ」を製造し、またザポリージャに本社を置く航空用エンジンや産業用ガスタービンエンジンの製造メーカー「モトール・シーチ」、宇宙関連企業「ユージュマシュ」も有名です。残念ながら「ムリーヤ」は本年2月末に駐機していたキーウ近郊のホストメリ空港がロシア軍空挺部隊によって急襲され

世界最大の輸送機「ムリーヤ」（写真：AP／アフロ）

た際に破壊されてしまいます。「ムリーヤ」とはウクライナ語で「夢」という意味です。もしかするとロシアからすれば、ウクライナの夢をいち早く壊したかったのかもしれません。最近では「東欧のシリコンバレー」としても知られるIT国で、ネット決済のPayPalやWhatsAppの創始者もウクライナ出身です。

ウクライナを一言で表現すれば「多様性の国」という言葉がピッタリです。ウクライナ人を中心に、さまざまな民族が住む国で、多様な文化や歴史が存在することがウクライナの大きな魅力ともいえるでしょう。

短時間でわかる今のウクライナ情勢を理解するための歴史の「ツボ」

ウクライナの首都キーウの中心の独立広場のすぐそばに、ひときわ目立つ音楽ホールを備えた建物があります。それはチャイコフスキー記念キーウ国立音楽院です。チャイコフスキーと言えば、ロシアの作曲家ではと思う方も多いでしょうが、祖父の代に改名する前の名字「チャイカ」はウクライナの伝統的な名前で、曽祖父はウクライナのザポリージャ・コサックでした。チャイコフスキー自身もウクライナの地をしばしば訪れています。

ボルシチのように、ロシアのものと思われていたものでウクライナ発祥のものは沢山あります。実はウクライナ史は、日本では長らくロシア史やソ連史の陰に隠れてしまい、単独で語られることは多くはありませんでした。極端に言えば、ロシア帝国史、ソ連史の中で隠された存在であったといってもいいかもしれません。

ここでは通史についてはお話ししません。ウクライナの通史については、この章の最後にご紹介する黒川祐次先生の素晴らしいご著書やウクライナ国営通信社記者の平野高志さんの本にも分かりやすくまとめてあります。

「ウクライナ1000年の歴史」とも言われることがありますが、その歴史はさらに古く、紀元前3500年から700年間にわたり栄え鮮やかな土器で知られるトリピッリャ文化、紀元前8世紀に栄え黄金芸術や古墳を残した謎多きスキタイ民族の国家、同じ頃黒海に栄えたギリシャ人植民地、クリム・ハン国とそれに続くクリミア・タタール人の歴史など、ウクライナにはその多様性を象徴するような魅力的な歴史があります。ここでは、今のウクライナ情勢を理解するために短時間で分かる歴史の「ツボ」として、押さえておきたい重要な4つのトピックスをご紹介します。

①盗まれた「キーウ・ルーシ」

2021年年7月にプーチン大統領がロシア語とウクライナ語で記したとされる論文「ロシア人とウクライナ人の歴史的一体性」では、ロシアとウクライナがともにキーウ・ルーシにルーツを持つとして両国は「兄弟」であり「一つの民族」と主張しました。

また、ロシアとウクライナは「精神的、人間的、文化的なつながりは数百年にわたたっ

キーウ創始者名誉記念碑（写真：SANJIRO MINAMIKAWA/SEBUN PHOTO/amanaimages）

て築き上げられた」として、両国民の一体性を強調しています。「ロシア人、ウクライナ人、ベラルーシ人は皆、かつてヨーロッパ最大の国家であった古代ルーシの子孫」と述べて、その起源をキーウ・ルーシに求めています。

キーウ・ルーシは9世紀末から13世紀にかけて、現在のウクライナからロシアなどにまたがる地域にあった国です。『原初年代記』によれば、東スラブ人のポリャーネ氏族の3兄弟、キー、シチェク、ホリフとその妹リービジが町をつくって、一番上の兄の名を取ってキーウと名付けたと言われています。キーウ市内には、この4人の銅像「キーウ創始者名誉記念碑」があり、観光名所となっています。この時作られた砦がウクライナの首都キーウの始まりだとされています。

その後、北欧からバイキングがやってきて、882年頃にキーウ公となったオレフは首都をキーウに移し、キーウ・ルーシを建国します。10世紀から11世紀初頭に在位したキーウ大公のヴォロディーミル1世（ロシア語読みウラジーミル）には、二つの功績があります。一つは公国を当時のヨーロッパ最大級の国にまで拡大したこと、そしてもう一つはビザンツ皇帝の妹を妻に迎え、キリスト教を国教化したことで、「聖公」とも呼ばれています。

最初にキリスト教に改宗したとされるのはキーウ・ルーシ大公妃のオリハで、聖ソフィア大聖堂と聖ミハイロ黄金ドームの間に美しい立像があります。それまでは多神教のアニミズムが信仰されており、オリハ像の傍らに幾何学文様のタリスマン（お守り）の柄が入った石柱を見ることもできます。つづく息子のヤロスラウは世界文化遺産でもある聖ソフィア大聖堂を建立し、国の安定をもたらしたので「賢公」と呼ばれています。13世紀からモンゴルの侵攻が始まり1240年に首都キーウが陥落すると、キーウ・ルーシは滅亡します。その後、力を持ったのは13世紀後半以降に成立したモスクワ大公国です。

ウクライナの歴史家は、ロシアの起源はキーウ・ルーシまでさかのぼるよりも、むしろモスクワ大公国が拡大してできたと考えています。実は、ロシアのキーウ・ルーシ起源説は16世紀のモスクワ・ツァーリ国のイヴァン雷帝の頃に権威付けのために唱えられ始め、その論理はいわば「後付け」です。ウクライナでは「盗まれたキーウ・ルーシ」とも言われます。にもかかわらず、プーチン大統領はキーウ・ルーシが自分たちの起源だから取り戻せと言っているわけです。

②コサックの子孫

19世紀末に描かれたイリヤ・レーピンの大作《トルコのスルタンへ手紙を書くザポリ

ージャ・コサック》という絵があります。時は1676年、黒海に近いドニプロ川下流の地ザポリージャ・コサックにトルコのスルタン・メフメト4世が降伏を勧告してきたのに対し、罵詈雑言をつづった返事を書いているところと言われています。この絵をよく見ると、現在のウクライナ国旗である青黄旗が描かれています。またその横には、のちのウクライナ民族主義者革命旗となる赤黒旗も見ることができます。

コサックといえば、現在のウクライナの国歌「ウクライナは滅びず」にも登場します。

ウクライナの栄光も自由もいまだ死なず
若き兄弟たちよ
運命はきっと我らに微笑むだろう
我らの敵は日の下の露の如く滅びるだろう
兄弟たちよ
我らは我らの地を治めよう
我ら自由のために心と体を捧げ示そう

兄弟たちよ
我らコサックの一族であることを
（原田義也訳）

この歌詞が作られたのは1862年です。キーウ大学で教えていたウクライナ人の民俗学者、パブロ・チュビンスキーは、他国の学生たちの愛国心にインスピレーションを得て、「ウクライナは滅びず」の詞を発表します。それに感動したミハイロ・ヴェルビツキー神父が1864年頃に作曲したと言われています。1917年から20年にかけてウクライナ国民共和国や1939年にはチェコスロバキアから一時独立したカルパト・ウクライナの国歌となりますが、ソ連では歌うことが許されず、公の場で披露されたのは1989年のことでした。1991年の独立の後に国歌となり、2003年からは3番まであった歌詞の1番が正式な国歌となりました。

最後のフレーズにあるコサックですが、もともとはテュルク系民族でしたが出自を問わない自治的な武装集団となります。乗馬だけではなく航海術にも優れたコサックもいて、17世紀にはコサックの頭領（ヘーチマン）であったボグダン・フメリニツキーがポーランドなどと戦い、「ヘーチマン国家」が形成されます。

続くコサックのリーダーとしてはイヴァン・マゼッパがいます。両者ともウクライナの紙幣になるほど人気のある歴史上の人物ですが、フメリニツキーはポーランド、そしてマゼッパはロシアと対峙するものの、結果としてその帝国に取り込まれていきます。

しかし、日本では独特なダンスで知られるコサックの発祥は、ロシアではなく、ウクライナの地であることは間違いありません。

③ウクライナ人に対するジェノサイド「ホロドモール」

２０２０年に公開された『赤い闇　スターリンの冷たい大地で』という映画がありま す。テーマは１９３２年前後に、ウクライナで実際に起きた大飢饉「ホロドモール」で、ナチス・ドイツがユダヤ人を虐殺した「ホロコースト」と並ぶ20世紀最大の悲劇の一つとも言われています。

映画のあらすじは、世界恐慌さなかの１９３３年に、スターリン政権下の旧ソ連だけ

ホロドモールによりハルキウの路上で倒れる人々（写真：Alexander Wienerberger）

が経済成長を遂げていることに疑問をもったウェールズのジャーナリストであるガレス・ジョーンズが、自らウクライナに潜入します。通りには遺体が放置され、その傍らを小麦が詰まった布袋を運ぶ人々にその行先を聞くと「モスクワだ」。ソ連の官憲に追われて逃げ込んだ家に隠れ住む子供たちから供された食事は死んだ兄弟の肉だった……。

当時、ソ連は農業の集団化をすすめる一方、外貨獲得のため、穀物の飢餓輸出を強行するため、ウクライナから小麦などを徹底的に徴発しました。１９２２年にソ連が成立し、ウクライナはソ連に最後に編入された地域で、一番抵抗した人たちということになります。

時の指導者ウラジーミル・レーニンは、1920年代は「ウクライナ化」政策を行い、ウクライナ語の出版や教育を認めるといった懐柔策がとられました。それがスターリンの時代になると、厳しい政策に転換しました。その背景には、ソ連に抵抗するウクライナ人の力をそぐ意図があり、独立意識の強いウクライナ人に対する人工飢饉であったとの説もあります。少なくとも400万人以上のウクライナ人が凄惨な飢餓の犠牲となったと言われています。ソ連はこの大飢饉を長らく隠蔽し、80年代になってようやくその存在を認めました。

ウクライナでは2006年に「ホロドモールはジェノサイド」とする法律が制定され、2015年には「ウクライナの共産主義者と国家社会主義者による全体主義体制に関する象徴の宣伝禁止法」によってホロドモールを否定することが規制されました。一方、ロシアはこれを否定し、今でも大飢饉は南ロシアなどでも発生したため、ソ連全体の飢餓としています。

④ウクライナ民族主義をめぐって

20世紀に入り、ポーランドやソ連といった周辺国に長らく支配されたウクライナでは独立運動の機運が高まりますが、その中心的役割を果たしたのはウクライナ民族主義勢力です。

ウクライナ民族主義者組織ＯＵＮは１９２９年１月28日から２月３日にかけてオーストリアのウィーンで結成され、ポーランドやソ連から独立したウクライナ国家樹立を目指した組織です。

１９３８年に指導者のイェヴヘン・コノヴァレツィがソ連の工作員によって暗殺された後は、アンドリー・メリニュークとステパン・バンデーラのグループ間で主導権争いが起こりました。バンデーラはポーランドで投獄されていましたが、第二次世界大戦がはじまり解放され、独ソ戦前後にウクライナ独立を意図してナチス・ドイツを一時的に支持しました。

しかし、独ソ戦開始後の１９４１年６月に、ＯＵＮを中心にリヴィウで独立宣言を行うと、その民族主義的傾向を嫌うドイツ占領軍によってわずか数日で投獄されます。そ

リビウにあるバンデーラ像（写真：AP／アフロ）

れ以後、反ナチス・ドイツ、反ソ連両方の象徴となります。

一方、リヴィウでは彼らによるユダヤ人のポグロム（虐殺）、のちにはウクライナ蜂起軍ＵＰＡによるヴォルィーニに住むポーランド人の虐殺も発生します。第二次世界大戦中は、ウクライナ国民共和国評議会に参加し独立を目指す者や、ドイツ側に協力する者など対応が分かれます。戦後は、ソ連内のウクライナでパルチザン活動や、西側の情報機関と協力しながら活動を続けました。

ウクライナ民族主義者たちは、一時ドイツと協力したこの事実から、ソ連時代は裏切者やナチス協力者とされてきました。ウクライナ独立後も、バンデーラの評価はポーランドやイスラエルなど国内外で非常にデリケートな問題でした。ウクライナ国内でも意見の対立があり、ユシチェンコ大統領がバンデーラに「ウクライナ英雄」の称号の授与を決めたかと思えば、次のヤヌコーヴィチ大統領が取り消すという具合です。ウクライナ民族主義者組織などと合同して誕生し、ナチス・ドイツとソ連の両者と戦ったウクライナ蜂起軍ＵＰＡの評価も、時期やウクライナの地域によってかなり違っていました。

大きな変化が訪れたのは、２０１４年のロシアによるクリミア占領、東ウクライナへの軍事介入以降です。

２０１５年４月、ウクライナではそれまで旧ソ連諸国で行われていた５月９日の「対独戦勝記念日」を止め、代わりにヨーロッパの終戦記念日である８日を「追憶と和解の日」と定めました。ウクライナ最高会議は、共産主義とナチスのシンボルを同一視して禁止し、ソ連時代からロシアやウクライナでも引き継がれてきた「大祖国戦争」の呼称を「第二次世界大戦」と変更します。

一方、ソ連時代から「ファシスト」とされたウクライナ蜂起軍ＵＰＡについては、同

4月、「20世紀におけるウクライナ独立の闘士に法的立場と栄誉を授ける法」が最高会議で可決され、初めて独立の英雄として国家に認められました。以後、ソ連軍のウクライナ人退役軍人とともに最高会議に招かれて式典が行われるなど和解が進みます。ウクライナでも自国の歴史を巡って長い論争がありましたが、この8年間で大きな変化が見られたのです。

しかし、プーチン大統領やロシア側は、この行為自体が元ソ連兵がウクライナ民族主義者に寄った、すなわち「ナチ化」したと曲解しています。2月24日の演説でも「ヒトラーの片棒を担いだウクライナ民族主義一味の虐殺者」と述べ、5月9日の演説でも「バンデーラ主義者」との言葉を使いました。自ら招くことになったウクライナ社会の変容にやはりついていけていないようです。

【もう少し知りたい人のための読書案内】

黒川祐次『物語　ウクライナの歴史』（中公新書、２００２年）
服部倫卓、原田義也編『ウクライナを知るための65章』（明石書店、２０１８年）
平野高志『ウクライナ・ファンブック』（パブリブ、２０２０年）

第2章 知られざる日宇交流史 ——その100年史——

「ソ連からの独立後」だけではない

僕はテレビに出演させていただく際に、よくつまみ細工のブローチを付けています。つまみ細工は日本の近世に始まったとされる伝統工芸で、ちりめん、羽二重などの薄絹を数センチ四方に切り、折りたたんで糊で貼り付けながら、かんざしなどの造形物を作ります。

僕のブローチは、ウクライナを象徴する花であるひまわりと日本の国花とされる桜がモチーフです。岸紀子先生というつまみ細工作家さんがウクライナの平和を祈って作られたものをいただきました。

ひまわりといえば、今年2月に戦争が始まってから、日本全国で往年の名画『ひまわり』の上映会が催されていると聞きました。第二次世界大戦で引き裂かれたイタリア人夫婦の愛と悲しみを描いたこの映画の後半には、美しいひまわり畑のシーンがあり、それはウクライナで撮影されました。長年、ヘルソン州で撮影されたと言われていましたが、実はポルタヴァ州のチェルニチー・ヤール村だったことがわかっています。

このように全国で広がるさまざまな草の根レベルの出来事も、日本人とウクライナ人の交流史の1ページと言えるでしょう。第1章では、現在の情勢を理解するために知っておくべきウクライナの歴史のトピックスを挙げました。一方、多くの日本人にとって、ウクライナ人と日本の交流はソ連からの独立後30年間というイメージがあるかもしれません。

この章では、日本とウクライナの地だけではなく、世界規模での日本人とウクライナ人の知られざる100年を超える交流の歴史についてお話しします。

宮沢賢治も憧れたウクライナの地

1924年に宮沢賢治は「曠原淑女」という詩の中で故郷の農婦を「ウクライナの舞手」に例えました。宮沢は理想の農業が行われた同地に憧れの念を抱いていたようです。

多くの日本人がウクライナ文化と出会う機会となったのは、1916年のカルメリューク・カメンスキーのウクライナ人劇団の来日です。この劇団は前年にウラジオストクで女優・松井須磨子と島村抱月らの芸術座一行と共演し、それをきっかけに、神戸、東京、横浜とツアーし、拍手喝さいを浴びました。

同じころ帝国劇場では、ロシアのペテルブルクからエレーナ・スミルノワとボリス・ロマノフが来日しバレエ公演が行われました。それを観た与謝野晶子は「滞在の短い割に日本人を刺激する所が多かった」との感想を残しましたが、朝日新聞は「面白みを感じることはできなかった」と評しています。ウクライナ人劇団は、大衆受けに徹したエンターテインメントであり連日満員であったと新聞各紙は伝えています。

1930年代前半に、ウクライナ人に対するジェノサイド「ホロドモール」を現地で目撃した日本人もいます。目撃したのは「共産党幹部」の正兼菊太です。

もともとは船員であった正兼は、1929年にソ連に渡り活動しましたが、スパイ容疑で逮捕されました。帰国後の1935年、大川周明が代表を務めた全亜細亜会で、早稲田大学教授でエクトール・マロの『家なき子』を翻訳する一方で「我国反共運動の理論的文化的指導者」と称された五来素川、ロシア文学者でありながら国際反共連盟からソ連に批判的な著作を出版した山内封介、善隣協会調査部長の吉村忠三らと座談会を行い、ホロドモールの実態について語りました。

なお、戦後のアメリカ軍戦略事務局（ＯＳＳ）の尋問記録によれば、正兼は実はラトビアやフィンランド駐在武官を務めた小野打寛の指揮下で共産党員を偽装した日本当局の工作員だったとされています。

地球規模でのウクライナ人と日本人の接触

１９３８年4月から5月にかけて「在米ウクライナ人団体」より廣田弘毅外相宛に書簡が送られます。全米各地で４月から５月にかけて開催された会合の決議文で、その内容はポーランドやソ連によるウクライナ人迫害の惨状を訴えるものでした。

アルベルト・アインシュタインが来日した際に通訳を務めたこともある稲垣守克は、１９２０年代から30年代にかけて、ジュネーブの地で国際連盟協会をはじめとするさまざまな役職を務めていました。その稲垣が１９３０年代後半に高い関心を示したのがウクライナ独立運動です。稲垣は、ウクライナ国民共和国亡命政府元首のアンドリー・リヴィツキーやヴァチェスラフ・プロコポヴィチ首相らと接触し、ウクライナ独立を支援するための具体的な強化計画を記し、それを日本政府に報告しました。

同じ頃、ベルリンではもう一つの日本とウクライナの接触が続いていました。30年代を通じて、駐ドイツ日本大使館駐在武官であった大島浩少将の下で、臼井茂樹中佐、馬奈木敬信大佐らが、独立を目指すウクライナ民族主義者組織OUNの幹部リコ・ヤリを通じて、リーダーのイェヴヘン・コノヴァレッツィと接触を続けていました。日本側は、日独防共協定が結ばれる中、反共戦線を構築するため東京へOUNの使節を派遣することを提案していました。

1938年9月のミュンヘン会談の結果、ドイツがチェコスロバキア領ズデーテン地方を併合したことをきっかけに、現在のウクライナのザカルパッチャ州にあたるカルパト・ウクライナも自治を認められるようになりました。ウクライナ語が政府、学校での使用言語となり、独自の軍隊も作られます。同地域のOUN幹部であったヒミネッツはカルパト・ウクライナ外交部代表としてベルリンの日本大使館とも接触していました。

1938年10月、日本大使館で「日本軍の将官」と面会し、カルパト・ウクライナ建国の大義を説明し支援を求め、同地の視察を提案しました。ヒミネツによれば、1938年12月15日、日本軍の将官、リコ・ヤリ、ヒミネツらは、車でベルリンからウィーンなどを経由しフストを極秘裏に訪問します。1939年2月9日フスト市ではヒミネツらを中心に「反共協会」が設立されますが、その発会式の壇上にはウクライナ、ドイツ、イタリア、スペインとならんで日本の国旗が掲揚されました。

満洲のウクライナ人と日本人

1934年から35年にかけて、満洲国ハルビンのウクライナ人居留民会が運営した「ウクライナ・クラブ」の1階部分が日本人女学校に貸し出されていたことはほとんど知られていません。ウクライナ人と日本の女学生や教員が実に2年に渡り、ひとつ屋根の下で共生していたのです。

20世紀初頭に極東に移民したウクライナ人は満洲にも移動し「緑ウクライナ（緑の楔）」と呼ばれた広大な居住地域が形成されました。日本の影響下にあった満洲国の外交部は、

満洲ハルビンのウクライナ・クラブ（1934年～35年頃）

極東のウクライナ人について詳細に調査・研究し、１９３６年には「極東蘇領に於けるウクライナ人口分布図」を日本語で作成するなど正確な理解に努めていました。

満洲のハルビンには6万人以上のいわゆる「白系ロシア人」が住んでいましたが、そのうち１万５０００人はウクライナ人でした。１９３５年、日本当局によって策定された「対蘇諜報機関強化計画」には「白系露人操縦費」とは別に「ウクライナ操縦費」が分けて計上されています。ハルビンの日本当局は、ロシア人とウクライナ人を明確に区別していたのです。

ハルビンでは、１９３１年から37年まで

ウクライナ語の週刊新聞『満洲通信』が発行されていました。その編集者であったイヴァン・スヴィットは、のちに「命のビザ」で多くのユダヤ人を救った杉原千畝をはじめ、さまざまな日本人と出会います。ある日、スヴィットは、元ハルビン特務機関長で非常に短気で知られ、クーデター未遂の十月事件に失敗し左遷されていた橋本欣五郎にロシア人と間違えられ怒鳴られるものの、ウクライナ人であることを説明した上で意気投合し『満洲通信』創刊の支援を取り付けます。

スヴィットは、特に親しく、またハルビンのウクライナ人を支えた人物として堀江一正の名前を挙げています。堀江は近衛将校で、シベリア出兵の際、ロシア語研修のためイルクーツクに派遣されました。そこで出会ったウクライナ系女性と結婚し一児をもうけます。離縁すれば問題なしと説得する陸軍当局に「此處まで来て彼の母子を見捨てたのでは、日本の将校として如何にも無責任と信ずるから、寧ろ潔く退官の道を選びその責任をとる」と答えました。軍を辞した堀江はロシア語を生かして南満洲鉄道で活躍します。コンスタンティン・コンスタンティノヴィチの洗礼名を持つ正教徒であった堀江はハルビン特務機関の顧問として、ハルビンのウクライナ人居留民会（ウクライナ・クラブ）の運営に協力しました。スヴィットは堀江が「1924年以来の友人」であり、「その対話すべてが感慨深い」と述べるほど深い友情で結ばれていたのです。

フリホリー・クペツィキーと日本人

今から数年前、僕が研究員を務めるウクライナ外務省OBによって設立されたロシア問題研究センターから、「カナダからプロフェッサー・オカベと連絡をとりたいと依頼があった」とメールが来ました。

連絡してきたのはレーシャ・ジュラという女性からでした。1937年に日本を経由してハルビンへ渡ったウクライナ民族主義者組織のリーダーのフリホリー・クペツィキーのコードネームであるジュラと同じ名字を持つ同氏とメールで連絡をとったところ、クペツィキーのお嬢さんであることがわかりました。何か史料がないかお尋ねしたところ、彼の手記とともにウクライナや満洲で撮影された一連の写真が送られてきたのです。

1937年、ベルリンの日本武官室とウクライナ民族主義者組織OUNの合意がまとまり、クペツィキーを含む3名のOUNグループが日本にやってきました。日本で出迎えたのは兵務局付きで防諜研究所（のちの後方勤務要員養成所、陸軍中野学校）の設立準備をしていた秋草俊でした。クペツィキーは、「マルコフ」というロシア系の偽名を与えられ、大阪、神戸、下関、釜山、大連を経て11月末に新京に到着します。ハルビンに移った後、同特務機関のウクライナ担当を堀江から引き継いでいた哈爾濱高等法院翻訳官の井上喜久三郎の助けを得ながら、タクシー運転手に身分を偽装して活動を始めます。

井上の次の担当者である関東軍情報部第4班所属の赤木陽郎通訳官は、ハルビン郊外の哈爾濱保護院に収容されていたウクライナ人約500名の名簿を提供し、クペツィキーらは1942年5月末、目立たぬよう彼らの面接を始め、OUNグループへの勧誘をしました。

クペツィキーが日本から新京に到着した時、流暢な日本語を話すウクライナ人アナトリ・ティシチェンコと出会います。すぐに意気投合した二人は、ハルビンのウクライナ寺院で、義兄弟の誓いを立てました。このティシチェンコは、1944年にジブローワの偽名で、保田三郎、増田晴三ら日本人10名とともに、世界で初めての『ウクライナ・日本語辞典』を編纂することになります。

深い関係を築いてきた満洲のウクライナ人と日本人にも別れのときが訪れました。1945年8月13日、ソ連軍がハルビンに迫る中、日本の特務機関は、協力者のいわゆる「白系露人」を脱出させるために特別列車を用意します。クペツィキーが乗車しようとするとき、ハルビン特務機関の最後のウクライナ担当者であった松坂與太郎は、他の日本人とともに残留する旨を告げ、涙ながらに次のように語りました。

〈なぜ今あなたを救おうとしているのか……あなたがウクライナ民族主義を選んでからの一貫性と不屈さ、意志の堅さ、そして目標へと向かって真っ直ぐな道を歩んできたからです。もしあなたが日本人だったら、おそらくサムライの出身でしょう〉

初めて涙する日本人の姿を見たクペツィキーは、ウクライナ・コサックの習慣に従って3回抱擁したのち、「命を救ってくれてありがとう。日本よ、永遠なれ、バンザイ・ニッポン！」と叫んだのでした。

「ウクライナに於いてドイツ軍の捕虜となりたる日本人」

さて、日本人とウクライナ人の交流の歴史ではないのですが、ここで一つ興味深いエピソードをご紹介させていただきます。

1945年1月、差し迫るソ連軍を前にドイツのケーニヒスベルク（現ロシア連邦・カリーニングラード）総領事代理であった織田寅之助副領事は職員4名とともに領事館に籠城することを決めました。当時の朝日新聞の記事によれば、織田は「高島職員と独人職員3名」と総領事館で籠城しました。しかし、この「高島職員」は名字のみで名前の記載がありません。またその後、織田とともに、日本に帰国したのかも書かれていません。この高島こそ、数奇な運命を生きてウクライナの地にたどり着いた日本人だったのです。

1942年6月25日、あるドイツ軍の下士官がケーニヒスベルク総領事館に一人の日本人を引き渡しました。その下士官は、1941年9月にドイツ軍がウクライナに進撃した際、チェルニヒウ市の刑務所に投獄されていた囚人を取り調べたところ「日本人」

であることが判明したため、ドイツ側から同総領事館へ身柄を引き渡したい旨が書かれた書簡を持参していました。

織田がその本人を尋問したところ、次のような経歴がわかりました。姓名は「高島ヨグズ」または「ヨゴゾー」で、1921年、シベリア出兵時に父親が家族とともにイルクーツクへ行き、日本の会社が実施していたバイカル湖での漁業に従事し住み着きました。しかし1935年、父親が逮捕され、1937年には母親も逮捕され消息を絶ちます。高島は、同地の国立大学に入学しますが、カザンに移り、同地の国立大学理学部に入学したところ、1940年に逮捕され、8年の禁固刑に処せられ収監されました。

それから2年あまり、高島は、織田や総領事館職員らと、楽しく、またときには喧嘩をしながら過ごしますが、平和なケーニヒスベルクにもソ連軍が迫り、包囲されてしまいます。1944年秋、総領事代理として同館の責任者となっていた織田は本省の指示で総領事館を閉鎖し、ベルリンへ引き揚げていました。しかし、織田は高島やドイツ人職員を置いたままにするのは心苦しいと考えた末、1945年1月24日、本省の反対を押し切って、まだ運航していたルフトハンザ機に飛び乗りました。飛行中、近くで空中戦が始まり、乗機は海面すれすれに飛び、なんとかケーニヒスベルクに到着した織田は、高島らとともに2カ月あまりにわたり、総領事館に籠城します。

4月からのソ連軍の攻撃は「砲弾の雨、爆弾の嵐」と織田が書き残すほど凄まじく、4月7日には総領事館のある地区も攻撃目標となり、織田は「いよいよ明日は自分たちの番だ」と覚悟しました。しかし、翌日1階の窓から外をみるとソ連兵の姿があり、ケーニヒスベルクが陥落したことを知ります。2人はなんとか生き残ることができたのです。

陥落後ちょうど1週間目、ソ連軍側からモスクワに飛行機で連れて行かれ、日本大使館に引き渡され、列車で満洲国境に達したのが「天長節の朝」つまり4月29日でした。滞在先のハルビンでヒトラーの死を聞き、その後、新京を経由して博多に到着し帰国を果たします。

戦後しばらくは一緒にいた織田と高島は、それぞれの生活を送りますが、10年あまり後、意外なことから高島の消息が判明します。雑誌に掲載された織田のケーニヒスベルク籠城記を読んだ東京のある人物が、高島がホームレス同様の生活をしており、織田に助けてほしいとの連絡をしたのです。織田は高島に会うためにすぐに上京しましたが、到着した時には、高島はすでにこの世にいませんでした。路上生活の末に、行き倒れて病院に運ばれて死亡したあとだったのです。身寄りもないため、織田は病院で骨だけになった高島と対面します。数奇な運命でウクライナの地にたどり着き、ケーニヒスベルク包囲戦を生き抜き、ついに日本に帰国を果たした高島でしたが、寂しい最期だったようです。

北極圏でのウクライナ人と日本人の邂逅——1953年ノリリスク蜂起

10年以上前、キーウの国境警備隊博物館から招待され、退役軍人を中心に僕の歓迎会が催された時のことです。乾杯の際「我々ウクライナ人と日本人はシベリアの収容所でソ連当局に対して共に闘った同志だ」との挨拶がありました。帰国後、調べてもわからなかったのですが、最近史料を発見し、1953年のノリリスク蜂起のことだと知りました。

１９５３年3月5日、スターリンが死去し、秘密警察の長官であったベリアによって一時期改革路線が採られますが、政治犯に対しては変化がなく、１００万人を超える囚人がグラーグ（矯正収容所）に残りました。政治犯の70％以上がウクライナ人と言われており、その多くは独立運動を行ったウクライナ蜂起軍ＵＰＡ、ウクライナ民族主義者組織関係者でした。同年5月にウクライナ人政治犯を中心に北極圏にある都市ノリリスクで大蜂起が起こります。「自由か死か」をスローガンに掲げ激しく抵抗を続けましたが８月に武力鎮圧されました。

ノリリスクには、少なくとも１００名を超える日本人が長期抑留されており、その中には数名の女性も含まれていました。日本人抑留者たちは日ごろからウクライナ人とロシア人の関係を観察し理解していました。樺太鉄道局豊原管理部長だった草野虎一は「ウクライナ人とロ助（ロシア人）とは非常に仲が悪い。吾々日本人から見れば、ウクライナ人もロ助だと思って居たが、彼等はロ助ではないと主張」し、「彼等は今同志がアメリカに渡って、独立運動を展開して居るから、独立も間近かだ」と聞きました。樺太特務機関員であった南部吉正は、「グワントンスカヤ・アールミヤ（関東軍）が、ドイツが対ソ戦を始めた時、東から攻撃していれば、敗けることはなかったのだ」とウクライナ人の作業班長から聞かされました。

ウクライナ人収容者ヴァシリ・ニコリシンによれば、ノリリスク蜂起で日本人抑留者はウクライナ人とともに闘ったそうです。彼は次のように述べています。

〈私は、我々ウクライナ人が他の民族や国々の代表者と持つ友情や連帯感について、少し温かい言葉を述べたいと思います。（中略）あるエピソードの一例を紹介しますが、それは私にとって非常に印象深いものです。（中略）

蜂起の真っ只中、日本人の大佐が私のところに来て、「私たちはどうすればいいのか？」と聞いてきました。私は彼に、ここは死の匂いがするからこの問題に関与しないようにと提案し、収容所から出ていけるように回廊を作ると言いました。そうすると彼は「私、考える」と言って去っていきました。暫くすると、彼は私のところに来て、「ヴァシャさん、私たちはあなたが公正で正直な人だと思っている。私たちもあなたたちと一緒に死ぬということを言うために来た」と言いました。正直なところ、この危機的な状況、緊張感、厳しさにもかかわらず、私は涙が止まりませんでした。日本人側が自らこのような行動に出るとは思ってもいなかったからです。もちろん、私は彼らの連帯に感謝し、彼らに守るべき場所を割り当てました。そして、彼らが最後まで、名誉を持って任務を果たしたと言わなければなりません。戦いの後、皆さんのご存じのとおり、私たちは敗北しました。日本人の運命がどうなったかは知りませんが、私はこのエピソードを一生忘れないでしょう〉

ソ連の圧政の象徴であり、最も過酷な環境であったノリリスクの収容所で、ウクライナ人と日本人が出会い、共に生きた事実は、ニコリシンが「一生忘れない」と言ったように、日宇両国民の記憶にもっと留められてもいいのではないでしょうか。

また、シベリアの矯正収容所で同じくウクライナ人による蜂起を目撃した黒澤嘉幸という人物は、１９９１年12月にソ連崩壊の報に接した時の心境を次のように吐露しています。

〈囚人仲間であったウクライナの親父の顔が浮かぶ。彼は言っていた。「独ソ戦が始まって、ドイツ軍がやって来た時、祖国ウクライナの旗を押し入れの奥深いところから、引きずり出して〝祖国解放万歳〟を叫んだ。が、再び、ソ連の支配下になった。ウクライナの旗は、また、しまい込まれてしまった。しかし、いつか、その独立の日に……」

半世紀の歳月の間、ウクライナの人々は、ソ連官憲の目を恐れながらも、祖国の旗をわが家に隠し続けていることを教えられた。

《祖国を愛する》ということは、こういうことだ、今ごろ、しまい込んだままのその旗を掲げているだろう。高々と祖国の旗を……〉

僕は、ちょうどソ連崩壊直後のウクライナを訪れました。同じような時期に、40年あまりの時を経て、日本人抑留者が、ウクライナ人の「仲間」を思い出していたことを知って、驚くとともに涙が出そうになりました。ソ連崩壊という歴史的出来事をウクライナ人と日本人が遠く離れたウクライナと日本の地で、同じ思いで眺めていたかもしれないからです。

【もう少し知りたい人のための読書案内】

岡部芳彦『日本・ウクライナ交流史1915-1937年』（神戸学院大学出版会、2021年）
岡部芳彦『日本・ウクライナ交流史1937-1953年』（神戸学院大学出版会、2022年）
オリガ・ホメンコ『国境を超えたウクライナ人』（群像社、2022年）

第3章　誰も知らないウクライナ政界の人物群像

ウクライナの内政

さて、第1章、第2章ではウクライナの歴史や日本人との関係を見てきました。皮肉なことですが、この戦争が起こった結果、日本でも、ウクライナの歴史や文化についての理解が急に深まりました。

一方、第2章で取り上げたような日宇交流史についてはまだまだ知られていないことも多くあります。くわえて、国際政治の中でのウクライナが注目される一方、本来はその国を動かしているはずの政治家を中心とした内政、政局までなかなか目が届きません。また、第5章でご紹介しますが、今回の戦争に関わるフェドロフ副首相やクレバ外相など現在の政権幹部が注目されるようにもなりました。

ウクライナは多様性の国だと書きましたが、その政界事情も一言では語れないような複雑怪奇なものです。ゼレンスキー政権ができるまで、最高会議（国会）で過半数をとった単独の大統領与党はなく、日本流に言えばいつも「ねじれ」現象でした。多党制でもあり、政党ブロックを作ることで与党を形成し、大統領の方針が気に入らなかったら、ブロックを離脱するということを繰り返してきました。

目の当たりにしたウクライナ国会

僕はウクライナを第二の祖国と思っていますが、一方で、ウクライナの国の政府体制に問題がないわけではありません。政治家や官僚の汚職は後を絶たず、それがEUへの加盟の妨げになっています。

2014年までは国会での乱闘は日常茶飯事で、日本の比ではありません。民族派議員から「お前はロシアのスパイだ」とヤジられた親ロシア系議員が、相手の顔面にいきなり強烈なパンチ、止めにはいっても次の一撃が飛ぶ有様です。昔の乱闘では耳がちぎれかけた議員もいました。

ウクライナ最高会議の本会議を傍聴したときのことです。傍聴席から見たその光景に驚きました。大臣が前で答弁しているのに8割方の議員がそっぽを向いてしゃべるか、議場を歩き回り、またスマホで話しています。なにより、傍聴席で僕らを案内している

ウクライナ最高会議本会議場にて（2016年撮影）

のは議員本人です。頼むから席に戻ってくれと言うと、いいからいいからと言い、今度は前日に僕らが面会していた副首相が応答するまで携帯電話を鳴らし続けます。騒々しい議場でやっと着信音に気付いた副首相に、我々が傍聴席にいることを伝えると、今度は閣僚席から副首相がスマホで写真を撮って、その場で自身のSNSに投稿します。

ほとんど学級崩壊した小学校並の有様で呆れたのですが、キーウでウクライナ人の元外交官と食事をしているときにそのことを言うと次のような言葉が返ってきました。

「ロシアの国会を見たことがあるか？　シ

ーンとした議場で整然と議事が進む。でも発言者以外で、誰も一言も言葉を発しなければヤジすら飛ばない。議場のマナーが悪かろうが、ウクライナの最高会議（国会）では誰でも自由に発言できる。これが権威主義と民主主義の違いだ」

この言葉を聞いて、なるほど、さすがゼレンスキーを大統領に選ぶ国だと思いました。そんなウクライナの政界ですので、個性的な政治家が多く、僕も会うたびにドキドキ、そしてワクワクします。全員をご紹介したいぐらいなのですが、到底無理なので、この章では、僕が会ったことがある政治家から何名かを選び、その印象を交えつつどのような政治風土があるのか、ウクライナ独立以来、その政治・政局を動かしてきたのはどのような人物なのかをできる限り見ていきたいと思います。

「ウクライナはロシアではない」レオニード・クチマ大統領

僕は、政界ＯＢも含めると多くの政界関係者と面会を重ねてきました。理由は、ウクライナに通い始めた頃、ドネツクのある大学の学長さんに「ウクライナで学者として成功しようと思えば、政治家とのコネクションが大事だ」と言われたからです。後でわかったのですが「学者として成功」には若干語弊があり、高い地位を得るためという意味であったと思います。その学長さんは、その足でヤヌコーヴィチ大統領の側近であるドネツク州知事のところに僕を連れて行きました。

その「助言」が僕に強い印象を与えたのか、特にウクライナで高い地位を得る必要のないにもかかわらず、僕は機会があるごとに政界関係者との面会を重ねていきます。大統領経験者は代行を含め7名中5名と会ったことがあります。その中でまず紹介させていただきたいのはレオニード・クチマ大統領です。

クチマ大統領を一躍有名にしたのは、2003年に出版された著書『ウクライナはロシアではない』です。言われてみれば当たり前のことですが、ただ、今でも「ロシア人とウクライナ人の歴史的一体性」という論文を書く人もいます。その結論は、18年前にはクチマによって否定されていたということになります。

経済学者として教壇に立ったのち、典型的な共産党官僚の道を歩んだ初代大統領レオニード・クラフチュークでしたが、次の第2代大統領レオニード・クチマはユージュマ

キーウ市内にてクチマ元大統領と（2018年撮影）

シュ社のロケット技術者から政界へ転じました。クチマは毀誉褒貶の激しい政治家で、自身の汚職疑惑を追っていたジャーナリストの殺害疑惑、２００４年のオレンジ革命時の風見鶏的態度など、数え上げればキリがありません。

ただ、２度の革命を経ても、政治家としての歩みが断絶せず、連続性が見られる事例も多々見受けられるのがウクライナ政界の特徴の一つです。その最たる例はクチマでしょう。

クチマはウクライナ独立後２期連続大統領に当選を果たした唯一の人物です。クチマは、スキャンダルによる度重なる退陣要求運動や2度の革命を経て、80歳を過ぎてもなおウクライナ国内外で重要な役割を果たしています。マイダン革命後は、ポロシェンコ大統領の依頼を受け、ドネック入りし人民共和国側と交渉を行ったほか、三者コンタクト・グループ（TCG）ウクライナ側代表に任命され、ゼレンスキー政権誕生後も再任されています。

僕はクチマ大統領とは2018年9月と翌年9月にお会いし、結構長い時間お話しました。握手した手は分厚く、80歳を超えてもなお力強かったことが印象的でした。来日時に食べたお肉が美味しかったそうで、よく聞いてみるとそれはすき焼きだったようです。

今回の戦争が始まってすぐの3月上旬、自身のレオニード・クチマ大統領財団を通じて出した声明では次の言葉がありました。

「ウクライナはロシアではない。そして、ロシアになることは決してない」

「世界で最も美しい首相」ユリヤ・ティモシェンコ

僕は首相経験者とは在職中も含め3名と個人的に会ったことがあります。その中でも特に記憶に残るのが、ウクライナの国民的詩人レーシャ・ウクラインカのオマージュとも、ウクライナの農村女性のものとも言われる独特な髪型をした女性政治家ユリヤ・ティモシェンコです。ティモシェンコは、スペインの新聞「ベインテ・ミヌートス（20分）」の「世界で最も美しい政治家ランキング」でも上位の常連でした。第5章でも書きますが、実は男社会だったウクライナ政界で、早くも2005年には女性首相となります。ウクライナ大統領の選挙には2010年、2014年、2019年と出馬し、彼女ほど大統領になりたかった人はいないかもしれません。

ウクライナの政治家の中で、クチマにも増して、彼女ほど毀誉褒貶が激しい政治家はいません。また一筋縄ではいかない複雑な政治的キャリアを持っています。

19歳で結婚し、大学卒業後、ロシアなどからのガス輸入を手がける有力企業などを経営、「ガスの女王」の異名のとおり実業家として成功します。1996年に最高会議議員に当選したのを皮切りに99年には副首相となりますが、政界進出前の通貨密輸疑惑や01年には実業家時代の不正蓄財疑惑が浮上して逮捕されたこともあります。その一方で、「寡頭制の腐敗したクチマ政権」を権力から排除することを目的に国民救済フォーラム

キーウ市内にてユリヤ・ティモシェンコ元首相と（2018年撮影）

を結成します。

彼女を一躍有名にしたのは２００４年の「オレンジ革命」です。同年11月の大統領選決選投票でロシアが後押しするヤヌコーヴィチ首相の当選が発表されましたが、票の集計に不正があったと抗議デモが広がりました。出直し選挙では、欧米寄りのユシチェンコが当選しました。しかし大統領就任直後からユシチェンコとティモシェンコは対立し、首相解任、首相再任を繰り返し、ウクライナの内政は混乱が続きます。

欧米寄りと見られたティモシェンコですが２００８年から09年にかけてガス供給を巡ってプーチン大統領とも蜜月になるなど

ロシアに傾斜し始めます。ウクライナの政治家は「親ロシア派」「新欧米派」と二項対立で見られることが多いのですが、このティモシェンコの事例のように時期によってその立場がコロコロ変わる場合も、過去には多々見受けられました。

大統領選挙に敗れた後の２０１０年12月は、ティモシェンコが京都議定書に基づいて受け取った資金を年金支払いに流用したことなどにより起訴され、翌年10月には職権乱用罪で禁錮7年の実刑判決を言い渡され収監されます。対立候補だったヤヌコーヴィチ大統領による報復だと欧米から批判される中、マイダン革命後の２０１４年2月末、最高会議の決定に従って釈放されます。その後は祖国党のリーダーとして政界に復帰します。

彼女には何度か会ったことがありますが、「ガスの女王」の強いイメージとは異なり、思ったより小柄で、フェミニンな印象でした。今回の戦争では、被害の大きな町を巡っている姿が目撃されています。北部のチェルニヒウでは朝日新聞ヨーロッパ総局長の国末憲人さんのインタビューを受けています。

「クリミア・タタール人指導者」ムスタファ・ジェミーレフ

2014年9月、クリミア・タタール民族会議（メジュリス）の前の議長ムスタファ・ジェミーレフとキーウ市内で会いました。当時はポロシェンコ・ブロックから最高会議議員に当選し、大統領クリミア・タタール人問題特別顧問を務めていました。

1998年には、国連難民高等弁務官事務所からナンセン難民賞を受賞したこともあります。この頃はノーベル平和賞の発表直前で、パキスタンのマララ・ユスフザイが受賞の大本命でしたが、その次に可能性が高いのがジェミーレフと言われていました。

第二次世界大戦中にほんの一部がドイツと協力したに過ぎないにもかかわらず、ソ連政府の指示によってクリミアを追放されウズベキスタンなどに送られていたクリミア・タタール人は、1989年になってようやく帰還が許されました。大戦中の移送の際に多くの犠牲が出たことやロシアへの不信感もあり、ウクライナが独立すると、ロシアに近い勢力に対抗するために、ウクライナ民族主義系の政党と協力を進めました。

2014年のロシアによるクリミア占領後、タタール人から副首相が任命されるなど

ジェミーレフ氏と彼の自宅にて（2017年撮影）

一見タタール人に融和的な政策が取られているように見えましたが、必ずしもそうではありませんでした。クリミア・タタール人出身の副首相は、メジュリスの反主流派で、常にジェミーレフの方針には反対し、2011年には議長弾劾を訴えた人物です。クリミア占領に際しては、反ジェミーレフ派として、ロシア側に目をつけられ副首相のポストと引き換えに切り崩され「毒まんじゅうを食った」のです。

一方、2015年1月末、メジュリスのクリミア残留のリーダーが、1年も前の2014年2月末のクリミア最高会議前でのデモ扇動による秩序混乱の罪で逮捕されました。同じ場所で、親ロシア的な住民もデモを行っていましたが、当然誰も捕まっていません。また、タタール語放送のテレビ局ATRが2015年4月、放送免許が更新されず、放送停止を余儀なくされました。

そんな切迫した時期に、ジェミーレフと会ったのですが、彼はまず2014年3月12日にプーチン大統領から彼の携帯に電話がかかってきたことから話し始めました。「どうしてプーチン大統領は貴方の携帯番号を知っているんですか?」と僕が無邪気な質問をすると「彼らは何でも知っている」と真顔で答えました。プーチン大統領が、クリミアがロシアに編入されれば生活が向上し、タタールの人々の権利を保障すると述べたことに対して、懐疑的だと答えたそうです。そして、クリミアにいる同胞が不利にならないように考え、強く意見したり、要求することは何ら行わなかったそうです。

多くのタタールの人々はウクライナのパスポートを持っていますが、やはり生活しにくいのでロシアのパスポートに切り替える人もでていると報道で聞いていました。「それでもいいんですか?」と尋ねると、一言「我々はそうやって生き延びてきた。これからも知恵を絞って生き続けるだろう」と答えました。そして最後に一言、「そして我々はウクライナと共に生きる」と言ったのが心に残りました。

その後は、毎年のようにお会いしていますが、最後にお会いしたのは彼の自宅で、ジェズベと呼ばれる独特の器具で、クリミア・タタールのコーヒー「カヴェ」をご自身で淹れてくれました。彼の歩んだ人生のように濃くて、とても美味しかったです。

「ボクシング世界ヘビー級チャンピオンから市長へ」ビタリー・クリチコ

ウクライナ戦争以降、ひときわ大柄な市長が現場から話しているのをテレビで見た人も多いのではないでしょうか。3月上旬に、ロシア軍が数日内に総攻撃かといわれる中、「国と家族を守るために死ぬ準備ができている」と発言していたのは元ボクシングヘビー級王者のキーウ市長ビタリー・クリチコです。

1971年、旧ソ連・キルギス共和国ベロヴォドスコエ市で生まれました。1985年にウクライナへ移住し国籍を得ます。1995年にペレヤスラウ記念フメリニツキー教育大学卒業後、2000年には「ボクシング-格闘技における理論・方法論」という

東京・衆議院第一議員会館にてクリチコ氏と（2016年撮影）

論文を書き、ウクライナ国立体育大学准博士となり、以後、「鉄拳博士」の愛称で呼ばれるようになります。

1996年にプロボクサーとして活動を始め、2004年にはWBC世界ヘビー級王座を獲得します。翌年に引退を表明するものの、2008年に復帰し再びWBC世界ヘビー級王座を獲得、以後8回の防衛に成功しました。2010年には「ウダール（打撃）」党を設立し党首となりました。2012年には最高会議（国会）議員に当選、2014年にはキーウ市長となり、2015年には政党連合の「ブロック・ペトロ・ポロシェンコ」（BPP）の党首となりました。

僕は2016年9月に来日したクリチコと会いましたが、握手する手も身長も本当に大きかったのが印象的です。一方、お話しのされ方も日本人に響くパワーワードを使いながら理路整然とされていて、非常に頭の良い方だなと思いました。

「チョコレート王」ペトロ・ポロシェンコ大統領

マイダン革命で政権を追われたヤヌコーヴィチ大統領は電気技師から輸送部門のキャリアが中心でしたが、次の大統領となったポロシェンコは、企業家であり、財界の出身です。ポロシェンコは1965年9月26日、オデッサ州ボルフラード生まれ、ヴィンニッツァで育ちました。キーウ大学国際関係・国際法学部では国際経済を専攻し、卒業後、同大学で助手として働きます。

1990年に、中小企業の連合体「レスプブリカ」の副社長に就任したのち、「ウクライナ取引所館」、「ウクライナ産業投資コンツェルン（ウクルプロムインヴェスト）」

東京都内にてペトロ・ポロシェンコ氏と（2016年撮影）

を創設しその社長に就任、同時にコンツェルン傘下の諸企業、「レーニンスカヤ・クズニャ」「ムリーヤ銀行」「ヴィンニツャ製菓工場」の経営に当たりました。製菓会社の創業オーナーであったことから、マスコミでは「チョコレート王」などと呼ばれました。

1998年、ポロシェンコはヴィンニツャ州の小選挙区から最高会議議員に選出され政界に転じました。社会民主党会派に属したのち、自前の中道左派会派「ソリダールノスチ（連帯）」（のちのウクライナ連帯党）を結成、「ウクライナ労働連帯」となったのち、「地域党」に合流し副党首となりますが離党、２００１年末には、ウクライナ連帯党としてヴィクトル・ユシチェンコのブロック「我らがウクライナ」に加入します。

２００３年にはポロシェンコが出資してテレビ局「第5チャンネル」を設立するなど経済活動を続ける一方、政界では２００５年に安全保障・国防評議会書記、２００７年にはウクライナ国立銀行理事長、２００９年には外相を歴任します。ヤヌコーヴィチ大統領就任後、ミコラ・アザロフ内閣でも２０１２年に経済発展・貿易相を務め、その間に第４回日本ウクライナ経済合同会議のため来日しましたが、結局９か月あまりで解任された後にマイダン革命を迎えることになります。

ロシアに対する強硬な姿勢で知られるポロシェンコもまた歴代の政権を渡り歩いた連続性のある財界出身の政治家であり、欧州連帯党の党首として今も政治活動を続けています。ロシアによるウクライナ侵略が始まったあとは、銃を手に前線の兵士を激励する姿も見られました。

彼とは４回ほどお会いしました。来日されたときには、僕の子供をいつも描いてもらっている作家さんに彼とマリーナ夫人の似顔絵を描いてもらいプレゼントすると非常に喜んでくれました。あの絵は今どこに飾られているのでしょうか。

「ウクライナのネオナチのリーダー？」オレーフ・チャフニボーク

２０１４年のマイダン革命の一翼を担った極右政党スヴォボーダ（自由）の党首オレーフ・チャフニボークとは２０１３年3月21日に、ウクライナ最高会議内のスヴォボーダ会派の部屋で面会しました。実はその頃、ウクライナ政界で台風の目となりつつあったチャフニボークがどんな考えを持っているのか、またウクライナの民族主義政党の考え方を知りたく、一度、意見交換してみたいと思っていました。ウクライナ政界関係者やスヴォボーダ関係者に、彼と会ってみたいと事あるごとに言っているとチャンスは意外に早く訪れました。チャフニボークがたまたま日本人に会いたがっているというのです。理由は、国政政党の党首としてＧ７の一角である日本について知りたいとのことでした。

スヴォボーダは、１９９５年設立のウクライナ社会民族党を前身として２００４年に

ウクライナ最高会議内にてチャフニボークと（2013年撮影）

結成され、２０１２年10月のウクライナ最高会議選挙で37議席を得て注目を集めました。当時は、特に西ウクライナで高い支持を得ていました。オレーフ・チャフニボークは、１９６８年リヴィウ生まれ、ソ連軍に徴兵後、リヴィウで医師をしていましたが、１９９１年にスヴォボーダの前身ウクライナ社会民族党を結党して政治活動を始め、１９９８年から、落選を挟みつつ２０１４年まで最高会議議員を務めました。

　ウクライナの人気雑誌『コレスポンデント』の「２０１２年、今年の人」にも選ばれました。当時の彼は、共産党系政治家および官僚の全員を罷免、国内身分証明書に

「民族」を明記するなど、徹底したウクライナ化を主張していました。また、ステパン・バンデーラをはじめとするウクライナ民族主義者を国家の英雄とすべきとも言っていました。

スヴォボーダといえば、プーチンの演説を流したウクライナ国営テレビ局の襲撃を実行したり、当時の与党・地域党の議員の演説中に議場から引きずりだしたりする議員がいるなど、暴力的で過激な行動をとるメンバーも多いことでも知られていました。ナイーブな先入観で、ここに書くのも恥ずかしいのですが、正直なところ、僕は「何か気にいらないことを言って機嫌を損ねて殴られないかな」と恐る恐る会いにいったのですが、話が盛り上がり、結局2、3時間ほど話し込みました。考え方には偏りはあるものの、普段の語り口は冷静であるとともに、時にはジョークも交えつつ、論理的な議論を行う印象を受けました。

チャフニボークの話のキーワードとしては、ウクライナ語へのこだわり、中国嫌い、日本好きといった点を繰り返し強調していました。また「日本とウクライナはロシア・中国を挟んでおり戦略的パートナーとして協力できる」とも述べ、その是非は別にして、グローバルな視野から大局的な見方も持っている印象も受けました。そこからは、彼を含めてスヴォボーダ自体が過激な民族主義政党から議会制下の右派政党への脱皮をなんとか模索しているようにも感じました。ちなみにチャフニボークが日本人に会うのは初めてとのことで、僕と会ったあと、ウクライナ最高会議に対日友好議員連盟に入会したとの連絡がありました。

ただ、このとき僕は、彼が率いるスヴォボーダがマイダン革命の主役の一人になろうとは知る由もありませんでした。また、ロシアによるクリミア占領や東ウクライナでのロシア系武装勢力との紛争でウクライナ人の愛国心が高まった結果、皮肉にも彼らの人気が急落し、政治勢力として影響力が全くなくなるとは予想だにしませんでした。ウクライナ政治の世界でも「一寸先は闇」なのです。

「2つの革命の陰の立役者」アンドリー・パルビー最高会議議長

1995年にチャフニボークとともにウクライナ社会民族党の結党に参加しながらも

過度な民族主義的主張を抑え、その後は、２００４年のオレンジ革命、２０１４年のマイダン革命ではデモ隊の先頭に立ち、ウクライナ中央政界で活躍したのがアンドリー・パルビーです。

パルビーは、政治活動の原点が社会民族党であったことから日本でも流行りの陰謀論などで「ウクライナのネオナチ」と書かれているのも散見されますが、その経歴を詳しく見れば、それは全くの誤りです。政界入りは、２００２年にリヴィウ州議会議員への当選で、リヴィウ州評議会副議長在任中の２００４年にオレンジ革命が起こり、キーウでデモ隊の先頭に立ちます。２００７年からユシチェンコ大統領（当時）の「我らウクライナ」ブロックに所属します。２０１２年からユリヤ・ティモシェンコの「祖国党」に所属しますが、マイダン革命後は、国家安全保障・国防会議書記に就任しました。また、２０１４年10月の最高会議繰り上げ選挙では、ヤツェニューク首相率いる「人民戦線党」から議員に当選します。パルビーもまた、さまざまな政党を渡り歩いてきたのです。

その後、同会派からの最高会議第一副議長を経て、２０１６年４月からはウクライナ

東京都内にてパルビー最高会議議長（中央）と。右はレオニード・イェメツ最高会議対日友好議員連盟会長（2018年撮影）

最高会議議長に就任します。議長在任中のパルビーは、最高会議では過激な言動は全くなく、異なる議会勢力間の調整を得意とし、所属政党以外から高く評価されていました。２０１９年、最高会議議長としてゼレンスキー大統領就任式を取り仕切ったのちに、７月の最高会議選挙では、ポロシェンコの「欧州連帯党」の比例名簿上位で当選し、８月末に議長を退任します。

パルビーとは、ウクライナと日本で、パーティでの立ち話も含めると4回ほどお会いしました。僕が個人的に聞いたところでは、趣味は読書と自然観賞で、山歩きが好きだとのことでした。なお、僕は２０１９

年にウクライナ最高会議章を受章しますが、その時の位記に署名したのは最高会議議長の職にあったパルビーです。今回の戦争が始まってからは、郷土防衛隊とともに、迷彩服を身にまとい銃を手に検問所に立つ姿が見られました。

「プーチンと対峙した2番手の男」アルセニー・ヤツェニューク首相

アルセニー・ヤツェニュークは、2つの意味で「2番手の男」です。一つは、長らくユリヤ・ティモシェンコの祖国党のNO．2であったこと。もう一つはポロシェンコ政権のNO．2である首相であったことです。マイダン革命以降、彼は、プーチンと対峙することになりました。プーチンやロシアに対して、強い言葉を発する細面の彼の姿を覚えている方もおられるかもしれません。

実は、ヤツェニュークは、ウクライナ政界で最も速く栄達を遂げた政治家の一人です。チェルニウツィー大学とキエフ国立貿易経済大学を卒業後、銀行に勤務し、２００３年には28歳の若さでウクライナ国立銀行副総裁に就任します。ユシチェンコ政権下で、２

キーウ市内にてヤツェニューク氏と（2018年撮影）

００５年に経済大臣、２００７年に外務大臣、２００７年12月に33歳でウクライナ最高議会の議長を務めます。２０１０年にはウクライナ大統領選挙に出馬しました。

２０１４年のマイダン革命にも、投獄中であったユリヤ・ティモシェンコに代わって祖国党を代表して積極的に参加します。２月21日には独・仏・ポーランドEU３カ国代表同席の下、クリチコ、チャフニボークとともに野党３党指導者として、年末までに繰り上げ大統領選挙実施、最高会議で大統領の権限を制限した２００４年憲法への回帰法案採択などといった内容の合意文書にヤヌコーヴィチ大統領との間で署名しました。マイダン革命後はミコラ・アザロフの後任となる首相になり、ユリヤ・ティモシェンコとはたもとを分かって「人民戦線党」を結成し、反露・親欧米的な路線を推し進めました。

しかし、経済低迷、腐敗や汚職、東ウクライナでの紛争等の諸問題への対応が遅れたことで、ポロシェンコ大統領との関係が悪化します。支持率も非常に低迷し、2016年4月10日に辞任を表明することになりました。2019年の最高会議選挙では、彼が率いる人民戦線党は1議席も取れず惨敗を喫します。

なお、ヤツェニュークの妻テレザ夫人ともお会いしたことがあります。キーウ安全保障フォーラムを主催するOpen Ukraine財団（アルセニー・ヤツェニューク財団）のトップをお務めで5歳年上の姉さん女房です。哲学博士号をお持ちの書誌学者だった才媛で、知性溢れる強いウクライナ女性の代表のように感じました。

「2人の女性財務大臣」ナタリア・ヤレスコとオクサーナ・マルカーロヴァ

ウクライナは歴史上、２人の女性の財務大臣がいます。ナタリア・ヤレスコは、マイダン革命後に就任したウクライナ初の女性の財務相で、非常にユニークな経歴の持ち主です。

ウクライナ系米国人のヤレスコは、１９６５年にイリノイ州に生まれ、その後シカゴのウクライナ人街で育ちました。ハーバード大学ケネディ行政大学院を修了後、１９８９年から92年までワシントンＤＣで米国国務省に勤務し、１９９２年から95年まで駐ウクライナ米国大使館の経済部門の責任者を務めます。その後、民間に転じてホライズン・キャピタルを共同設立し最高経営責任者となったほか、欧州復興開発銀行のウクライナ担当責任者も務めました。２０１４年から16年までウクライナ財務相を務めたのちには２０１７年３月からアメリカ政府機関であるプエルトリコ財務監視および管理委員会の常務理事を務めています。

２人目の女性財務相は、オクサーナ・マルカーロヴァです。２０１７年、キーウのあ

キーウにてオクサーナ・マルカーロヴァ（左から2番目）とナタリア・ヤレスコ（右から2番目）と（2019年撮影）

る国際会議に出席していた僕は、休憩スペースでコーヒーを飲んでいました。たまたま隣に座った男性と話していると、「遅いなあ、もうすぐ妻も来るはずなんだが」ときょろきょろ周りを見回していました。「あ、来た、来た、妻を紹介します」と言われた相手が財務大臣代行だったマルカーロヴァでビックリしました。

マルカーロヴァは、1976年にリヴネで生まれ、キエフ・モヒーラ・アカデミー国立大学で修士号を取得後、米国インディアナ大学で国際財政・貿易の修士号を取得しました。1998年から1999年および2001年から2003年にかけて米国の投資ファンドWestern NIS Enterprise Fund（ＷＮＩＳＥＦ、現在はホライズン・キャピタル傘下）で経済政策アドバイザーおよび外部および企業コミュニケーションのマネージャーとして活動します。

２００３年から２０１５年にかけてITT-Invest社の代表取締役を務めたのち、２０１５年に財務次官、その後、第一副財務相に就任、２０１６年6月の閣僚会議の臨時会合で財務相代行に指名され、ポロシェンコ政権下のフロイスマン内閣で２０１８年11月に財務相に任命され、ゼレンスキー政権下のホンチャルク内閣でも２０２０年3月まで務めました。２０２１年2月、ゼレンスキー大統領によって、駐米ウクライナ特命全権大使に任じられ、世間を驚かせました。

僕は、ヤレスコとマルカーロヴァが財務相在任中に、国際会議などで4回ほど話したことがあります。ある時、「ウクライナ人は女が財布を握ったほうがうまくいくのよ、私たちみたいに」とヤレスコが僕に言って、マルカーロヴァが爆笑していたのを覚えています。なお、マルカーロヴァの夫ダニーロ・ヴォリネッツもウクライナの投資銀行の代表を務めており「財務相の夫は大変だ」と述べていたのも印象的です。

一方、ウクライナに一定額の投資をすると永住権が得られると聞いたのでキーウにマンションを買いたいのだがと相談すると「今は止めておけ、なぜならプーチンが新たな戦争を仕掛けようとしているから」と言われました。2019年9月の出来事ですが、彼の目にはもう今の戦争が予想できていたのかもしれません。

マルカーロヴァですが、戦争が始まったのち、今年3月1日のバイデン大統領のアメリカ議会における一般教書演説に招かれ、ジル・バイデン夫人の隣に座り、抱き合う姿も見られました。

「コメディー役者兼脚本家兼芸能プロダクション社長」ヴォロディーミル・ゼレンスキー大統領

2019年9月、ウクライナ版ダボス会議とも称されるヤルタ・ヨーロッパ戦略会議に出席した時のことです。

会議初日、主要なゲストが集合写真を撮るのが毎年の習わしです。僕の前列にはアナス・フォー・ラスムセン元NATO事務総長やヴィクトリア・ヌーランド元米国務次官補、イギリスの著名な歴史家ニーアル・ファーガソン、フランスの哲学者ベルナール＝アンリ・レヴィなどが並びました。さらに前にはNATOへの加盟方針を発表したフィンランドのサウリ・ニーニスト、エストニアのケルスティ・カリユライドと現職の大統領2名が並び立ち、その横にアレクサンデル・クワシニエフスキ元ポーランド大統領やレオニード・クチマ元ウクライナ大統領など名だたる面々が続きます。さながらソ連崩壊後のヨーロッパの歴史絵巻を見ているようにも感じました。

全員が並び終えると、あまり背は高くないけれど、世界的な面々の中に入っても、明らかに他の人とは一風違う嫌みのないオーラを醸し出す男が現れました。その男が、ウクライナの大統領であるヴォロディーミル・ゼレンスキーだと分かるのには少し時間がかかりました。

集合写真を撮り終えて、思い切って後ろから肩を叩き、一緒に写真をと頼むと快く応じてくれました。でも警護官の輪の中に入ってしまい、シャッターを切ってくれる人がいません。僕は実はこの日まで自撮りなるものをしたことがありませんでした。大統領の右側に立ち左手でシャッターを切ろうとしますが、自分の手だけが写ります。焦って

キーウ市内でゼレンスキー大統領と（2019年撮影）

大統領の後頭部から手をまわし左側から撮ろうとすると今度は大統領の左側頭部だけ写ります。その直後ですが、大統領に危害を加えようとしていると思ったか後ろの主任警護官が僕の腕をつかんでいました。人生初めての自撮りにモタモタしている僕の姿を見て彼は笑い「セルフィーは初めてなのか？」と聞きました。そうだと答えると僕のカメラを取り上げ自撮りしてくれました。

それから約1カ月が経ち、天皇陛下の即位の礼で来日した彼との朝食会に招かれました。出迎える要人の列の最後に私を見つけた彼は「セルフィーマン！」と叫びました。ビックリして握手をしながら「覚えていますか？」と聞くと「もちろん！　自撮りはできるようになった？」と言いました。朝食会が終わると最後に、9月に撮った写真をプリントしたものに「ゼレンスキー大統領　日本へようこそ　岡部芳彦」と書いた写真をプレゼントしたところ、めちゃくちゃウケていました。あの写真はまだ大統領の手元にあるのでしょうか。

ヴォロディーミル・ゼレンスキーは、1978年1月、ドニプロ州のクリヴィー・リーフで生まれました。キーウ国立経済大学クリヴィー・リーフ経済研究所で学ぶかたわら、学生劇団を結成、1997年、テレビのお笑いコンテストをきっかけに、チーム「クヴァルタル95」を立ち上げ、モスクワを拠点に活動します。つまり、ロシアの芸能界が彼の最初の活躍の場であり、芸能界を通じてその社会の裏側を垣間見たとも言えます。2003年からはそのチームを制作会社化し、2005年ウクライナの「インテル」チャンネルでコメディーショー「ヴェチェルニー・クヴァルタル」を開始し歴代ウクライナ大統領の批判など政治風刺のコントで人気を博します。2008年からラブコメを中心に映画にも出演し始め、2011年からロシアの歌手発掘番組で共同司会をし、同国でも人気を得ました。

２０１２年からウクライナのオリガルヒ（寡頭財閥）の一人イーホル・コロモイシキーが所有する「１＋１」チャンネルに移籍して、２０１５年から自分が庶民的大統領を演じるドラマ・シリーズ『国民のしもべ』で高視聴率を獲得します。

そして２０１８年12月末、テレビで突然大統領選挙に出馬表明、翌年第一回投票において得票率約30％で首位、４月の決選投票で73％近い得票率で勝利しました。

実を言うと、僕はゼレンスキーが出馬すると聞いた時、「そんなバカな」と思いました し、あるウクライナの友人も同じような反応でした。ではなぜ彼が大統領になれたのかというと、最大の要因はポロシェンコ大統領だと思います。政治家としてのキャリアも長いポロシェンコはしがらみを断ち切れずに、ＥＵがその加盟条件として求める汚職対策は遅々として進みませんでした。

一方、反ロシア政策を強力に推しすすめ、長年の悲願であったウクライナ正教会の独立といった問題にも取り組みましたが支持率には結びつきませんでした。そこに登場したのが、政治経験ゼロのゼレンスキーでした。ウクライナでは、既存勢力との結びつきがないという意味で、政治経験がないことが評価されることがあるのです。

大統領に就任するまでロシア語話者でしたが、ウクライナ憲法の規定に大統領はウクライナ語が話せることとあるため、猛特訓した就任演説でゼレンスキーはこう宣言します。

「我々全員が大統領です。自分に投票した73％だけでなく国民の100％が大統領で、我々全員の勝利です」

また、「クリミアもドンバスもウクライナの土地です。我々が失った最も重要なものは人です。ウクライナ人なのです」とも述べ、この地域の人々に届くよう呼びかけたのです。

ゼレンスキーはその後、ウクライナ発のロシア語放送局「ドム（家）」を開設するなど、ロシア系住民に配慮した政策を打ち出します。東部占領地域ではロシアのプロパガンダ放送しか受信できなくなっている事情を改善するためですが、彼自身が東部出身者のロシア語話者だったからこその着想で、融和政策をとります。

ゼレンスキー大統領に対する2つの誤解

政権発足後の3年間については、さまざまな批判がありますが、二つの誤解を解いておきたいと思います。一つ目は「73％だった支持率がその後、20％台後半にまで低迷していたが、開戦後90％超にまで回復した。だからゼレンスキーは戦争を望んでいた」という見立てです。僕はメディア出演しだしてから、記者さんなどからこの質問を何回も聞かれてビックリしたので、ウクライナの世論調査方法について丁寧に説明するようにしています。

実はウクライナの大統領の支持率は、それぞれ算出方法が全く違います。ウクライナ大統領選挙は1回目の投票で得票率が50％を超えない場合は上位2名の決選投票となります。73％というのは二択の決選投票の数字で、50％を超えるのは当たり前です。これに対し、任期途中の世論調査の方法は「明日投票するとしたら誰に投票するか？」という問いです。大統領選挙の国ならではの問い方で、その選択肢には前職や有力者など何人もの名前が入ります。答えはだいたい上位5人ぐらいに割れます。

日本のような「首相を支持しますか、しませんか？」という二択ならば50％を超えることもあるかと思いますが、複数の有力候補者が並ぶ選択肢からのチョイスで「支持率」が20％台後半というのは悪くはなく、任期の３年が過ぎた歴代の大統領の中ではむしろ一番高い数字です。最近の90％超という支持率は「大統領の行動を支持するか？」という二択への回答なので、これは高く出て当然です。

もう一つの誤解はまとめて書きますが、「憲法にＮＡＴＯ加盟を掲げた」「三年間、クリミア問題解決のために何も手段を講じなかった」「２０２１年10月にドローンで親ロシア派武装勢力を攻撃したのが今回の戦争の原因」という主張です。

まず、憲法のＮＡＴＯ加盟を掲げたことについてですが、最初に気がついたのは、ある大物評論家の方が「人気を失ったゼレンスキーは、ＥＵ加盟、ＮＡＴＯ加盟を掲げ、憲法にまで明記した」とウェブ記事で書かれていたのを見つけたときです。実は、これが明記されたのは２０１９年2月、ポロシェンコ政権下で、全くの間違いです。生まれて初めてＴｗｉｔｔｅｒで人の文章の間違いを恐る恐る指摘したのですが、２、３日中には訂正されたので言ってみるものだなと思いました。ただ、ある高名なベテランの政治学者の先生のウェブ記事にはまだ、ゼレンスキーが「そして憲法に『EUとNATOへの加盟』を掲げて欧米に接近し、内戦を継続」と書かれています。ウクライナ政治オタクとしてはなぜそんなことを書くのか全く理解できません。

よく使われる「親ロシア派」の武装勢力もその実体はロシア軍であることは、今回の戦争で明らかになりました。ですので、ウクライナ人同士の争いを意味する「内戦」という言葉を使うのはロシア側が広めてきたナラティブ（物語）やプロパガンダそのもので、もっと理解できません。第4章にも書きますが、2014年以降、ちまたにはどうもこの「路線」で今回の戦争を語りたくて仕方がない方々もまだおられるようです。まだまだウクライナという国については知られていないことが多いので、情報発信の重要性を日々感じています。

「対ロシア」はソフト路線だった

今となっては信じられませんが、政権発足当初のゼレンスキーの路線はロシアに対して非常にソフトなものでした。

２０１９年12月9日には、マクロン大統領の仲介でウクライナ東部紛争の和平協議がパリで開かれ、ゼレンスキー大統領とロシアのプーチン大統領の間で12月末までに戦闘停止の措置を取ることで合意したほどです。ノルマンディー方式とも呼ばれるこの４カ国（ウクライナ、フランス、ドイツ、ロシア）による首脳会談は、紛争が起きた14年６月に初めて開かれましたが、16年以降はポロシェンコのロシアに対する強硬路線もあって開催できていませんでした。ただ、個人的には、もしかするとこの「ロシアすり寄り政策」をプーチンが「この政権はなんとかなりそうだ」と誤解した結果、今回の戦争の遠因になったのかもしれないなとは感じています。

ゼレンスキーは２０２１年8月の独立記念日の前日には、ＥＵなど46の国・国際機関の代表をキーウに呼び「クリミア・プラットフォーム」という首脳会議の初会合を開催しました。僕のところにも早い段階で招待が来て、この枠組みの中の「専門家会合」に参加をしました。そこで「平和的な手段による占領停止」を呼びかける決議を採択しています。

この首脳会議の開催は、2019年5月の大統領就任演説で掲げた公約の一環です。しかし、2020年初頭から始まったコロナ禍で政治を含む日々の活動が難しくなり、ようやく昨年あたりから実行できたというのが実情です。

ドローン攻撃についての主張は全くナンセンスです。東ウクライナの実体はロシア軍であるいわゆる「親露派武装勢力」を牽制するためで、ドローン技術に劣るロシアが過剰反応したにすぎません。ドローンを飛ばしただけで大規模な侵略をうけるのではたまったものではありません。

ゼレンスキーにはポピュリストとの批判もありますが、僕はそのときどきの有利な選択肢を選ぶ機会主義者だと考えています。

また、他のポピュリストとの違いもあります。戦争の前からゼレンスキーは東部の最前線の兵士と塹壕の中で一緒に食事をし、市民や子供たちに近づいては写真を撮らせていました。今回、戦争が始まって、短期間でのウクライナの敗戦やゼレンスキー自身の国外逃亡の可能性が囁かれる中、彼は首都キーウに踏みとどまり、そのことを自撮り動画や自らの言葉で国民に伝えました。

戦争が始まるまで国際的には無名であった彼は、各国での国会演説などを通じて、今や世界で最も有名な男となりました。その背景には、彼の普段からの真摯に人と接する態度があったのです。

【もう少し知りたい人のための読書案内】

中井和夫『ウクライナ・ナショナリズム―独立のディレンマ―』(東京大学出版会１９９８年)

西谷公明『通貨誕生―ウクライナ独立を賭けた闘い―』(都市出版、１９９４年)

岡部芳彦『マイダン革命はなぜ起こったのか―ロシアとＥＵのはざまで―』(ドニエプル出版、２０１６年)

第4章　なぜウクライナはロシアに狙われたのか
——2014年を境に変わったことと変わらなかったこと

ドネックを16回訪れて

２０１３年から14年にかけて、ＥＵとの連合協定締結を拒否したヤヌコービッチ大統領に反発する抗議デモが警察・機動隊と衝突した末に、同政権を失脚させたマイダン革命が起こりました。その隙をついてロシアがクリミアを占領し、東ウクライナでは実はロシア軍が主体である「親露派武装勢力」とウクライナ軍の間で戦闘が起こり、８年にも及ぶ戦争が始まります。２０１４年８月のイロヴァイシクの戦い、２０１５年１月から２月にかけてのデバルツェボの戦いを経て、ロシア側に有利な戦況の下でミンスク合意が結ばれたものの散発的な戦闘が止むことはありませんでした。

２００９年から２０１３年の間に、東部のドネツクに計16回訪れましたが、少なくとも僕は、「私はロシア人だ」と自分から言う人に出会ったことはありません。もちろん、「多様な国」ウクライナなので、ロシアを支持する人もいるでしょう。ただ、少なくともウクライナ国籍者で「ウクライナに住むロシア人」だと言う人に会ったことは全くありません。

平和な時代のドネツク（2011年撮影）

ドネツクは現在ロシアが主張するジェノサイドとは縁遠い長閑な地方都市に過ぎませんでした。ロシアに後押しされた一部の住民や社会のアウトサイダー、そして旧共産党幹部などが、その出世欲からドネツクとルガンスクに偽の共和国を作り、8年にわたり、この地のウクライナ人を抑圧的に支配してきたのが実態です。また、2019年6月からは2つの人民共和国地域でロシアの国籍の付与、つまり旅券の「配布」も始まっており、プーチン大統領のいう、「東ウクライナのロシア系住民」は巧妙に作り出されてきたということになります。

また、その地域の子供たちは、急に「人

民共和国民」とされて、自分たちはロシア人だという教育を8年間受けています。当時10歳だったとすると今は18歳となり、徴兵されて、マリウポリに送り込まれたりしています。

2014年、日本で目にしたロシアの「下準備」

マイダン革命が起こった2014年は僕にとっても日本で不思議で、またもどかしく、苦い経験が数多くあるとともに、多くのことに気づかされた年でした。

マイダン革命から7カ月ほどが過ぎた2014年9月9日、この日は僕の人生にとって最悪な誕生日であったのでよく覚えています。7月17日にはマレーシア航空機が東ウクライナで撃墜され、情勢が混迷を深める中、永田町の衆議院議員会館では、あるロシア政治の権威とされる先生の講演がありました。本当は、あまり気が進まなかったのですが、僕はウクライナに詳しいので、その講演後にコメントをしてくれと主催者に言われしぶしぶ参加しました。

その先生はロシア正教会を中心にウクライナ国内の宗教事情を話し始めたのですが、

今ほどウクライナに詳しくなかった僕の目から見ても、かなり間違いの多い内容でした。親切心で間違っている箇所をいちいち指摘したかったのですが、あまりに多すぎたのと、学会での権威者ということもあり、人前で恥をかかせても可哀そうだなと思い、特に何も言いませんでした。

お話が終わると、次に出てきたのがロシア連邦国際交流庁駐日代表部長の肩書を持つ方でした。日本とロシアで2つの博士号を持ち、ヤポニスト（日本学者）を自称して、まあまあ上手い日本語を話すこの男性は、普段からやや自意識、自信過剰なところがあり、日露交流をしている日本人の間でもあまり評判がよくありませんでした。

質疑の時間に入ったとたんに、したり顔で、ドネツクで撮影されたという5枚ほどの写真をクリップで止めて聴講者に配り始めました。そして一言「ドネツクでは今ロシア語系住民のジェノサイドが起こっており、また全域が火の海で第二次世界大戦以後最大の人道危機が起こる」と言いました。さすがにこれはないなと思ったのと、またドネツク州の広さを知っているのかと思い「戦闘自体は点と線で起こっており、さすがに全体が火の海はない」と言ったところ、気色ばんでロシア語交じりで反論してきました。

そこで「あなた、ドネツクに何回行ったことがある？　私はこの5年で15回以上訪問したが」と言ったところ、当然、彼は一度も行ったことがなかったのでしょう、押し黙ってしまいました。会合が終わって、スポーツマンシップにのっとってノーサイドで仲直りでもしておくかと名刺を持って行ったところ、受け取りを拒まれ、両手を挙げて肩をすくめながら足早に去っていきました。

ただ、今考えてみると、ロシア側は、このころから「東ウクライナでロシア系住民のジェノサイドが起こっている」と日本でも繰り返し主張していました。今回の戦争の情報戦の下準備はかなり早い段階で行われていたのです。

外交官という職業の悲哀

同じ時期、これとは対照的な経験をしたこともあります。２０１４年当時、日本にいるロシアの外交官の言動は、先ほどの男性をはじめ、今と同じく支離滅裂でした。明らかにパニックを起こしていて、本国政府から赴任国向けに説明するように言われている内容を公式な場で述べるものの意味不明で、彼らの頭のなかで整理、理解ができていない様子でした。ただ終始一貫していたのは「マイダン革命」が「非合法のクーデター」だと主張していたことです。この説明でいくと、正統で合法的な大統領はヤヌコーヴィチであり、現在の政権は「米国主導で正統な政権を崩壊させようとする違法なクーデター」によりできたことになります。

マイダン革命からしばらくして、あるロシアの外交官の講演会が大阪で開かれて僕もどんな主張をするか興味があり聴講しました。彼は日本語が上手く、頭脳明晰で、僕のゼミで非常にわかりやすい講義をし、学生からも好評でした。

しかし、この日は100%ロシア政府のプロパガンダを話そうとするものの、良識ある彼はどうしてもそれをうまく話せない様子で、外交官という職業の悲哀を感じました。

講演終了直後、僕を見つけた彼が小走りでやってきて、「ちょっと話がある」と声をかけられました。別室に移って2人きりになると彼は言いました。

「今回の件で、〈ウクライナ〉という国とウクライナ人について、わかったつもりでいただけで、本当はよくわかっていなかったことを思い知った。ロシアの外交官も同じで、しかもまだ気づいていない者も多い。ついては、ウクライナに詳しい貴方に、ロシア語で、我々の外交官向けにレクチャーしてもらえないだろうか」

ロシア人が、ウクライナやウクライナ人について、日本人の僕に教えを請いたいということに驚きました。さすがにロシア人相手にロシア語で講義をするというのはあまりにハードルが高く、即座にお断りしました。

ただ彼は誠実な人物で、その出自は少数民族のタタール人です。もしかしたらウクライナを兄弟国家と教え込まれてきたロシア人だとそんな発想は思いつかなかったかもしれません。

漏れ伝わるところによれば、プーチン大統領は今回、自分の出身の情報機関からの「ウクライナを解放すればウクライナ人は歓迎する」といった誤った情報に基づいて侵攻の決断をしたといいます。あるいは本人もそのように信じ切っていた節もあります。あの時、僕がロシアの外交官たちに、ウクライナの本当の姿や正しい政治情勢について話しておけば、少しぐらいは声が届いて、僅かながらでも今回の事態を避ける一助になったかもしれないと考えると今でも悔やまれてなりません。

再会

２０１４年2月のマイダン革命は、僕個人の人間関係にとっても革命でした。当時僕は、キーウにいる知人たちが本当に心配でした。僕は「多様性の国ウクライナ」に魅力を感じていたので、気の合う人とは、地域や思想信条に関係なくお付き合いしてきました。東ウクライナでロシア語を話すところしか見たことがない友人もいれば、ロシア語を一切話さない典型的なウクライナ民族主義者である友達もいます。また、ヤヌコーヴィチ政権下では、賄賂の話が大好きな、大統領与党「地域党」の最高幹部ともお付き合いがありました。

マイダン革命が起こると、飲み仲間といってもよい国家国境警備庁次官のミハイロ・コバリ大将は国防大臣代理となります。ヤヌコーヴィチ政権下で機密情報漏洩疑惑がかかり予備役に編入されたイーホル・カバネンコ海軍大将は国防次官に返り咲き、大学教員時代からの友人オレクサンドル・シチは副首相に就任します。シチの所属政党は、極右勢力のスヴォボーダ（自由）党です。政治の世界に入る前のシチはウクライナのボーイスカウトであるプラスト運動史を研究する大学教員で、同じ学者として付き合いがありました。彼はウクライナ民族主義を熱狂的に信じている一方で、非常にナイーブで、スヴォボーダの暴力的なイメージのデモ参加者とは全く異なる温和な人物で彼の奥様も含め今でも家族ぐるみの付き合いがあります。

２０１４年2月20日、独立広場付近で大規模な衝突が起こり、ヤヌコーヴィチ大統領の逃亡が報じられ始めました。国家権力はウクライナ憲法の規定どおりに最高会議議長に移り、最高会議では矢継ぎ早に重要決定が行われました。その中にはスヴォボーダが提出した、ロシア語を公用語から外す法案もありました。東ウクライナの混乱を決定づけたとされるこの法案ですが、実は5日ほどですぐに撤回されています。

マイダン付近での治安部隊との衝突が伝えられる中、何人かの友達にメッセージを送ってみると、最初に返事があったのがシチでした。無事であること、そしてスヴォボー

首相執務庁舎にてオレクサンドル・シチ氏と（左手前、2014年撮影）

ダも参加して暫定の連立政権が樹立され、自分も政府に入ることになったと書いてありました。

ほどなくしてウクライナのニュースで、最高会議の平議員にすぎなかった彼が副首相になったと聞きました。最初は、耳を疑いましたが、5月にキーウを訪れた際に、首相執務庁舎に招待を受け、会いにいくことになりました。道路の石畳は剥がされ、あちらこちらに黒焦げになった建物が目につきました。マイダンを抜け、首相執務庁舎に着くと、ヤヌコーヴィチ政権時と違い、高い鉄製の柵は取り払われていました。副首相執務室で立派になった彼と再会しました。以前とは違い、政府広報担当者やカメラマンに囲まれての再会に少し戸惑いました。公人となった彼とは以前のように気軽には話せないのだなと感じましたが、9月に再訪した際にも、最初のミンスク合意がまとまる前後で非常に多忙であったにもかかわらず、時間を作ってくれました。1年あまりで副首相を退任した後、しばらくゆっくりしていた彼は、今は故郷のイヴァノフランキウシクへ帰り、同州評議会議長に復帰しました。自家製ワイン造りとキノコ狩りが趣味で、この3月末にウクライナ出張をした際に、彼の家で飲む約束をしていたのですが、戦争が始まり、残念ながらお預けとなってしまいました。

変わるメンタリティー

2014年2月初旬、僕は、ドネツク行きの航空券をキャンセルできない条件で予約していたので、渡航しようか非常に迷っていました。訪問の目的は、9月にドネツクで僕が創設した日本・ウクライナ地域経済・文化フォーラムの4度目の開催を計画していて、その打ち合わせのためでした。日本側では、パネリストとして国会議員も参加の意向でしたし、他にも何名かの議員から前向きな回答を得ていました。

日本のテレビは繰り返し独立広場付近の緊迫する状況を放映していました。ドネツク側のオーガナイザーである若き日本学者にスカイプで連絡すると、テレビでの緊張感とは全く異なる返事でした。彼によると、ドネツクは平静そのもので、平常どおりだと言います。「危ないキーウに行かず、ドネツクに来てください（笑）」という余裕すらありました。

しかし、時がたつにつれて彼の言葉は大きく変化していきます。2月末には、「東ウクライナの人の大勢が連邦制を求めている」、3月になると「クリミアのことで、ドネツクでもウクライナ人であることを再認識する人が増えた」「連邦制がいいと思ったけど、今はウクライナの統一性のほうが大事」とニュアンスが変わります。このころからドネツクでも「親ロシア派」を名乗る人々によるデモなどが起こりはじめました。4月半ばには「（僕が5月末にウクライナ訪問予定だったのを知って）たぶん5月末に会うのは少し難しいかもしれない。何が起こるか誰にも予想できない」、5月初旬になると「頭の半分は日々の暮らしや仕事を考えないといけないし、半分は国の行く末を考えるので、普通の精神状態ではない」と2月とは全く異なる言葉でした。

現在のヘルソンと同じように、実はこの直前までドネックではウクライナ支持の大規模集会が連日開かれていましたが、4月30日、覆面を被り武装した「親ロシア派」を名乗る男たちが、女性や子供も多く参加していたデモ隊に襲いかかったのです。

時を同じくして、ドンバス・テレビなどのテレビ局が占拠されて、ウクライナの放送からロシアの放送に電波が切り替えられました。若者世代はインターネットや衛星チャンネルでウクライナの放送を見られますが、高齢者は通常放送しか見られないのでロシアのテレビしか見られなくなりました。当然、ロシアのマスメディアでは「ウクライナの義勇兵大隊がドネックの義勇兵の母に息子の切り落とされた頭部を送付」などといったロシアでしか報じられない偽のプロパガンダ・ニュースが流布しており、それを聞いて不安になるとともにウクライナ政府への不信感も高まっていきました。3月にはロシア政府が大半を出資している英語国際放送「Russia Today」の2人のキャスターがウソばかりの編集方針に抗議して生放送中に辞任しました。

自分からぶっ壊すロシア、高まるウクライナ人の愛国心

ロシアが東ウクライナに介入するまで、そこに住む人々のウクライナ人意識や愛国心は今ほど強いわけではありませんでした。ただ、経済を中心にロシアとの関係は重要だが、クレムリンにはNOという意見が大勢ではありました。この時点でも、東ウクライナの住民はキーウの政権、クレムリンのどちらにもネガティブでしたが、クレムリンに対する不信のほうが比べ物にならないぐらい大きかったのは間違いありません。

キーウでの政変後も、東ウクライナでは「親ロシア派」を名乗るならず者の悪行を見るまで、あるいは非正規を装ったロシア軍や傭兵部隊が送りこまれるまで、ロシアに対する感情もさほど悪くありませんでした。ただ、戦車や対空ミサイルで重武装した傭兵、しかも武装した犯罪者までもが大量に流入し、暴れまわった結果、現地住民の支持はほとんどなくなりました。ロシアは支配地を得る一方、ウクライナ国民、特に東ウクライナ住民のロシアに対する友好的な感情を完全に失います。

２０１４年3月からロシアがクリミア占領や東ウクライナへの軍事介入を行う名目は

「東ウクライナで、ジェノサイドが行われている。背後に過激な民族主義者がいる」というものでした。マイダン革命でできた移行政権やポロシェンコ政権ができた当時までは、この理屈を主張しやすい事情もありました。直前の2月、政権交代につながる「ユーロマイダン」の政変では、ウクライナ民族主義を掲げる政党スヴォボーダも参加し、シチのように政権にもポストを得ていたからです。

2014年当時ロシア政府やロシアのマスメディアは、西ウクライナの過激な反ロシア抗議活動や政権内のスヴォボーダの存在を危険視し強調しましたが、特に今回の戦争が始まってから、さらに過激で煽情的な動画が、ロシア側によって作成され、ネット上にあふれています。彼らの存在を指してプーチンは「ネオナチ」と批判しますが、政府全体の一部だけを切り取ってウクライナの政治権力の代表であるかのように言うのはナンセンスです。

どの国にも極端な人はいます。それは日本で例えれば、政権与党を支持する人々が街頭で旭日旗を掲げてデモをしているのに似ています。彼らの写真や動画がYouTubeなどに投稿されて「日本の政権は極右民族主義だ」「戦争犯罪者を美化するネオナチ」などと言われれば、いや、それは違うと思う人が大半でしょう。彼らの主張が日本全体の主張だと隣国から言われ、またそれを理由に侵攻されることがあるでしょうか。また、それ以前に、思想信条の自由がある日本で、そういう考えを持つこと自体を否定することができるでしょうか。ウクライナは今、このような理屈でロシアから攻撃を受けているのです。

早い段階でウクライナの極右勢力が勢いを失ったことは、2014年の選挙結果が物語っています。5月25日のウクライナ大統領選挙でスヴォボーダ党首チャフニボークの得票率はわずか1％程度、10月の最高会議選挙では党は得票率5％の壁が超えられず比例代表の議席をすべて失い惨敗しました。つまり、ウクライナ人の国民意識と愛国心が高まった結果、伝統的民族主義を唱えていた彼らのさらに「右」に旗が立つことになり、存在感が薄れたということになります。

議場でいつも極右議員と殴りあっていた親ロシア的な議員たちがいなくなるのもこの時です。独自の議会の選挙をするという理由で、東部二州から議員を送り出さなくなったことに加え、乱闘多発の議会の慣行への反省もあって、政党が一定数の候補者を女性とすれば助成金が得られるクオータ制に似たルールも導入されます。

こうして、議場での暴れる武闘派の親ロシア系議員たちがつぎつぎと姿を消してしまいます。失った議席は約40議席で、全450議席の約一割に達します。この議事を妨害する行為は、じつはロシアにとってウクライナ政治に合法的に介入する手段として極めて有効なものでした。仮に、クリミアと東ウクライナでウクライナ最高会議選挙を行っていたら、いままで通り親ロシア系議員を当選させることができ、彼らを使って最高会議の不安定化、あるいは間接的な操作すらできたのです。しかし、プーチンは東部を占領したことで、みすみすその手段を失ってしまいます。皮肉にも自分で自分の首を絞める結果となったのです。

親友が「ドネツク人民共和国」で受けた拷問

一方、政変後の2014年4月末に何者かに銃撃され親露派と目されたゲンナジー・ケルネス・ハルキウ市長は、2015年10月25日の地方選挙では、一度目の投票で50%

キーウ市内でイーホル・コズロフスキー氏（左）と（2018年撮影）

以上の得票を得て再選されました。やはりウクライナは「多様性の国」なのです。このことからも、東ウクライナの住民が抑圧されているというロシアの主張が誤りなのがわかります。

東ウクライナのドネツクに人民共和国ができて、夜間外出禁止令が出るなど市民生活は悪くなる一方でした。

そんな中、僕の親友で宗教学者のイーホル・コズロフスキーが人民共和国当局に捕まってしまいます。コズロフスキーは僕がドネツクに行くことになったきっかけを作ってくれた人で、彼がいなければ僕はこれほどまでにウクライナという国にかかわっていなかったかもしれません。自称「ドネツク人民共和国」ができてから、コズロフスキーはドネツクの街角で宗教関係者や学生たちとともに連日、「平和を祈る運動」を展開し、ひたすらに平和を祈る非暴力の反戦運動を粘り強く行ってきました。そんな中、２０１６年1月に、その活動を理由にドネツク人民共和国当局に身柄を拘束され、軍事裁判で懲役2年8カ月を言い渡されました。２０１７年にはアムネスティー・インターナショナルから「良心の囚人」にも認定されました。

僕も、拘束直後は、現地の知人と相談しながら何とか釈放してもらえないか、現地当局への働きかけも行いました。しかし、東ウクライナ情勢の深刻さから叶うことはありませんでした。

２０１７年12月27日、ウクライナ政府と「ドネツク人民共和国」の間で捕虜交換が成立し、軍人ではないコズロフスキーも交換リストに入り、晴れて自由の身となりました。僕にとってはなによりのクリスマス・プレゼントでした。

２０１８年6月、見た目は以前と変わらぬ彼とキーウで再会することができました。僕の救援活動についても関係者から詳しく聞いていたようでお礼を言われましたが、爪を剥がされるなど、拘束中にドネツク人民共和国当局から受けた拷問の話を聞き、やはり彼の心に与えた傷を感じざるにはいられませんでした。

プーチンの「妄想の歴史観」

２０２２年5月9日に赤の広場で行われた対独戦勝記念日の式典で、プーチン大統領は次のように述べました。

〈「キエフ」は核兵器取得の可能性を表明した。くわえてＮＡＴＯ加盟国は、わが国に隣接する地域の積極的な軍事開発を始めた。このようにして、われわれにとって絶対に受け入れがたい脅威が、計画的に、しかも国境の間近に作り出されたのだ。アメリカとそれを取り巻くネオナチ、バンデーラ主義者との衝突は避けられないと、あらゆることが示唆していたのだ〉

「バンデーラ主義者」がスヴォボーダや、同じくマイダン革命に参加した極右勢力の右派セクターのことを指しているのであれば、すでに述べたとおり、ウクライナの中央政界に彼等の影響力は全くありません。

また、仮にその「バンデーラ主義者」よりもウクライナ社会全体が民族主義化したと主張したとしても（僕はそうは思いませんが）、原因はロシアによるクリミア占領、東ウクライナへの軍事介入にあるのは誰にでもわかります。では、なぜプーチン大統領はこのようなバカげた主張をするのでしょうか。僕は「妄想の歴史観」が原因ではないかと考えています。

この演説では、ウクライナのことを「キエフ」と言いました。ウクライナの政権を指す場合に使われる言葉ではあるのですが、プーチン大統領にとって、ウクライナは「国」ですらないのかもしれません。

ロシア・東欧研究の第一人者として知られるティモシー・スナイダーは、近年、プーチン大統領が、20世紀前半のイヴァン・イリインなどの「ファシスト思想家」の本を読みふけって、陰謀史観にのめり込んでいると指摘しています。イリインは「ウクライナ人がロシアという有機体の外にある別個の存在であること」を否定しています。この思想の影響が、3カ月あまりのロシアやロシア軍の軍事行動の背景の一つと考えてもいいぐらいではないでしょうか。

真偽はわかりませんが、２００８年4月のルーマニアのブカレストで開かれたＮＡＴＯ首脳会談で、プーチンはジョージ・Ｗ・ブッシュ米大統領に「ウクライナは本当の国ではない」と語ったと、ロシア・メディアで報じられたことがあります。その後も似た様な主張を繰り返しており、かなり早い段階から今のウクライナ観につながる考えを持っていたようです。

もし一言で、今回なぜロシアがウクライナを侵略したのかを述べろと言われれば僕は「ＮＡＴＯ加盟問題など国際政治の背景よりも、プーチンが〈妄想の歴史観〉を背景に、ただウクライナを自分のものにしたかっただけ」と答えています。これは僕の以前からの持論で、2月24日直後からメディアでも一貫して話していて、今でもその考えは変わりません。またそれは、フィンランドとスウェーデンがＮＡＴＯに加盟しようとしているのに、プーチン大統領やロシア政府が、対ウクライナのように軍事行動はとらず、ロシア西部に軍事基地を構築することを表明する程度であることからも、それは裏付けられます。

２０１４年のクリミア占領を通じた誤った成功体験が、東ウクライナへの軍事介入へとつながりました。一方、クリミア占領ほどはうまく進まず、ロシア国内への説明や自身の行動を正当化する手段として「東ウクライナのロシア語を話すロシア系住民に対するジェノサイド」が行われているというナラティブ（物語）が生まれ、今回の「ウクライナをナチスから解放する」との妄想へとつながっていったのです。

そして今、そのプロパガンダが拡散した結果、誤った「正義」を信じ切った多くのロシア国民を前に、「ウクライナの非ナチ化」という偽りの金看板を外すことすらできず、国内を沈静化させる術を失いつつあるようにも見えます。

実は、2月24日以降、僕が国内外のメディアで発信している姿をＳＮＳなどで見たロシアの複数の友人・知人から「なぜウクライナのナチストの味方をするのか？」というメッセージが来ました。中には「恥を知れ！」的な内容もありました。悲しくなり「なぜナチスだと思うのか教えて」と返事すると決まってYouTubeにアップされたウクライナの極右勢力がナチス風の松明行進をしたり、暴れまわる様子が上手くまとめられたプロパガンダ動画のリンクが送られてきました。彼らは普段は極端なところは全くない「普通の人々」です。この時、僕が子供のころ流行ったアニメ『機動戦士ガンダム』の中の「悲しいけど、これ戦争なのよね」というセリフを思い出しました。戦争は普通の人々を熱狂的な愛国者に変え「非友好国」民の言うことに聞く耳を持たないのも普通のことなのかもしれないなと感じました。

一方、今回のロシアの侵略の背景には、近年の過度な「大祖国戦争」の美化・英雄化があるとも感じています。「大祖国戦争」は、ソ連やロシアの独ソ戦の呼称です。

実は、モスクワ大学に留学中の1997年5月9日、赤の広場での対独戦勝記念日のパレードに正式に招待されたことがあります。その前年、ある大阪の専門商社の社長さんが、「ロシア連邦友好勲章」を受章されました。当時、僕は、大学の馬術部の同級生と一緒に、元ニチイ（のちにマイカル）の副社長で当時、ジャパンメンテナンス会長だった福田博之さんの書生紛いのことをしていた関係で、その受章記念パーティに同行しました。そこで勲章のプレゼンターとしてロシアからヴィクトル・クリコフソ連邦元帥

モスクワ・赤の広場で行われた対独戦勝記念パレードにて。左はイーゴリ・プザノフモスクワ軍管区司令官（中将、のちに上級大将）（1997年撮影）

が来ていました。クリコフ元帥は最後のワルシャワ条約機構軍の司令官です。その時に知り合いになっておくと留学中の何かに役立つだろうとご紹介いただき一緒に写真を撮りました。モスクワで元帥のお宅を訪問した際に、その写真を額に入れてプレゼントするとたいそう喜ばれました。何か礼をしたいというので、最初は、ＴＢＳの『報道特集』でタイフーン級の原子力潜水艦を取材している番組を見たことがあったので乗せてほしいとお願いしました。ただ、「それは海軍で、自分は陸軍だからさすがに無理」とのお返事でした。するとと元帥のほうから「５月の対独戦勝記念パレードの招待状はどうだ」と言われました。

正式に招待状をいただいたあとは、「あの日本からの留学生はパレードに招待されたらしい」と大学寮の職員さんの間で噂になるほどでした。パレードの前日のことです。高齢の寮母さんがバラを一本持って僕の部屋に来ました。そして「明日、私たちの代わりにこれを無名戦士の墓に供えて」と言いました。そして、「戦争の話をしてあげよう。戦争が始まってすぐ、私の村にドイツ軍がやってきて……」と涙ながらに弟が殺されたことなどを話しました。この頃の戦勝記念日は今と違って、まだ「大祖国戦争」への従軍経験者も多くが存命で、赤の広場では退役軍人のみのパレードが行われていました。亡くなった兵士や国民を悼み、二度と同じような戦争が起きてほしくないと平和を祈る意味合いが強かったようにも思います。

択捉島の小学校に飾られたパネル

対独戦勝記念日は、プーチン政権が長期化するのと並行して、愛国心の発揚と軍事力

択捉島の小学校の壁に掛けられたパネル（中央がセバストポリ）（2016年撮影）

を誇示する場と化していきます。従軍経験者が亡くなり退役軍人の行進も少なくなってきたため、戦没者を悼む純粋な目的で２０１２年に始まった「不滅の連隊」運動も２０１５年にはプーチンも参加し、政府の愛国運動に利用されるようになりました。それに伴ってプーチンやそれを支持する層の間で、「先の大戦でナチスを倒したのはロシア」との誇りとゆがんだ愛国主義だけが強まっていったように思えます。

２０１６年に北方領土の択捉島で小学校を訪れたときのことです。廊下の壁は、独ソ戦で英雄の称号を受けた都市ごとの勇壮な説明パネルで覆いつくされていました。

しかも、ウクライナのセバストポリとオデーサのパネルには、同国では禁じられたロシアにおける大祖国戦争のシンボルであるオレンジ色と黒色の聖ゲオルギー・リボンが描かれていました。小学校の壁新聞が戦争についてばかりということ自体も、本当は尋常ではないはずです。

しかし、帰ってきて、そのことをあるベテランのロシア研究者の先生に言うと、「戦勝国だから当たり前のことじゃないか」と言われました。戦争賛美が小学校で行われていることのどこが「当たり前」でしょうか。また2014年に占領されロシアに強制編入されたクリミアのセバストポリ、今回の戦争で砲火にさらされたオデーサまでも、ロシアの都市のように扱うことが「当たり前」でしょうか。ロシアに傾倒しすぎるあまり、あるいは過度にロシアを尊重しすぎるあまり、異様なまでの愛国教育の高揚とその異常性に気づくことができない、いや、気づいているにもかかわらず何も言えなくなってしまっていたのです。

変わるウクライナ、変わらないプーチン

プーチン政権が過度に強調する「ナチスを倒した」という言葉は、ロシアにおけるパワーワードとなり、それが今回の戦争の「非ナチ化」というスローガンに変わりました。ナチスを倒すためなら何をしてもいいという発想が、ブチャでの虐殺につながったとも言えるでしょう。

コロナ禍で、人と人があまり会えなかったことが原因なのか、別の理由があったかはわかりませんが、プーチンに意見できる人がいないことも、ウクライナ侵略の決定に影響したように思えます。2つの人民共和国の独立承認の際、交渉での解決を提案したセルゲイ・ナルイシキン対外情報庁長官にプーチンが詰問する場面がありました。その場面は、プーチンが「裸の王様」だということを感じさせました。僕はナルイシキンには何度か会ったことがありますが、彼はロシア歴史協会の会長を務めており、主張に相当な偏りはあるものの、学者肌の印象があります。歴史に詳しい彼が即答できなかったのは、やはり「妄想の歴史観」を押し付けられたからではないでしょうか。

２０１４年以降のウクライナ社会の変化について書きましたが、変わらなかったのは、プーチン大統領、その政権幹部、保守層や高齢のロシア人のウクライナに対する考え方です。ヘルソンやマリウポリなどロシア軍占領地域では、１９４５年にベルリンの国会議事堂に掲げられたソ連旗「勝利の旗」のレプリカが掲げられました。マリウポリでは、ソ連の旗を掲げた高齢のウクライナ人とされる女性が、ウクライナ兵によってその旗を足蹴にされると抗議する映像がロシア側から公開されました。ウクライナ側は「ロシア軍に家を壊さないように頼むために表に出た」ハルキウに住む高齢女性であると主張しており、その真偽はわかりません。しかし、マリウポリでは、すでに銅像化され、ロシアでも「アーニャおばあさん」と呼ばれ、土産物屋にフィギュアが並び、今回の戦争を正当化するシンボルとして扱われています。

ただ、ソ連旗の掲揚や「ソ連の旗を掲げる老婆」の像は、クリミアや2つの人民共和国にくわえてヘルソンなどでも進められている「ロシア化」を超えて、「民族友好」のノスタルジーを利用した「ソ連化」と言ってもいいでしょう。また、ロシア占領地域では、再びレーニン像を設置する動きもあります。もしかするとプーチンの最終ゴールはソ連の復活なのではないかとさえ思えてしまいます。

本来は、国と国同士の友好や相互の理解を進めるのは、いいことに違いありません。一方、民族と民族の融和を極度に唱えすぎると、同化政策になってしまい、それはかえって他民族の抑圧につながることがあるのも、今回の戦争でよくわかりました。過度な主張をせず、それぞれの国の文化や歴史に、お互いに敬意を払う姿勢こそが、国と国、国民と国民の本当の友好につながるのではないでしょうか。

【もう少し知りたい人のための読書案内】

マーシ・ショア、池田年穂訳『ウクライナの夜―革命と侵攻の現代史―』（慶応義塾大学出版会、２０２２年）
ティモシー・スナイダー著、池田年穂訳『自由なき世界―フェイクデモクラシーと新たなファシズム―』（上下巻、慶應義塾大学出版会、２０２０年）
ピーター・ポマランツェフ、池田年穂訳『プーチンのユートピア―21世紀ロシアとプロパガンダ―』（慶應義塾大学出版会、２０１８年）
アンドレイ・クルコフ、吉岡ゆき訳『ウクライナ日記』（集英社、２０１５年）

第5章　ウクライナ・ロシア戦争

――なぜゼレンスキーは持ちこたえられたのか――

ウクライナの閣僚平均年齢

2月24日に戦争が始まりました。多くの軍事専門家の予想をはるかに超えてウクライナ軍が善戦しています。当然、ゼレンスキー大統領や政権幹部が首都に留まったことも大きな要因です。

では、その背景にはどのような要因があったのかについて、この章では見ていきます。軍事的な側面は専門家に任せるとして、第3章と同じように僕が会ったことのある政権関係者から何人かのキーパーソンを紹介しつつ、ゼレンスキー政権の特徴から具体的にその理由を見てみたいと思います。

表1は2014年2月のマイダン革命前後からのウクライナ内閣の平均年齢をまとめたものです。ヤヌコーヴィチ政権下のミコラ・アザロフ内閣時の政界関係者は旧ソ連の官僚といったステレオタイプのイメージの人物が多く、その影響もあってか、閣僚の平均年齢は53・3歳でした。マイダン革命後にできたトゥルチノフ移行政権ならびにポロシェンコ政権下のアルセニー・ヤツェニュク内閣では平均年齢は5歳若返ります。次の

表1 マイダン革命前後のウクライナ歴代内閣の平均年齢

内閣	平均年齢	備考：大統領
アザロフ	53.3歳	ヤヌコーヴィチ
ヤツェニュク（第一次）	48.7歳	トゥルチノフ（代行） ポロシェンコ
フロイスマン	45.2歳	ポロシェンコ
ホンチャルク	39.4歳	ゼレンスキー
シュミハリ	44歳	ゼレンスキー

【出典】ウクライナ政府ポータルサイトなどを参照。
※平均年齢には延べ人数ならびに副首相を含む。

ヴォロディーミル・フロイスマン内閣でも閣僚の平均年齢はさらに45・2歳に下がりました。

２０１９年8月29日にゼレンスキー政権下で発足したオレクシー・ホンチャルク内閣では平均年齢は40歳を切り、39・4歳となり、20歳代の閣僚が2名誕生します。旧弊との癒着がない、つまり政治経験のなさが評価されて当選したゼレンスキーだったので、閣僚の人事もそれを反映したものでしたが、極端に若返ったホンチャルク内閣は、歴代最年少で35歳の首相も含めて明らかに経験不足でした。ホンチャルクは、ゼレンスキーに批判的な音声テープが

YouTubeに流出し、2020年3月4日に辞任に追い込まれました。その結果、イヴァノフランキウシク州行政長（知事）など十分な地方行政の経験を持つ官僚のデニス・シュミハリに政権が引き継がれます。なおこのシュミハリ首相も現在46歳です。

若手の登用——失敗から成功へ

若手登用策の成功例として、ドミトロ・クレバ外相を紹介します。クレバの経歴は、閣僚としても、外交官としても、異色です。クレバは、1981年生まれで現在41歳、2003年にタラス・シェフチェンコ記念キーウ大学国際関係研究所課程を国際法専攻で修了、准博士号を取得した後に、法律顧問としてウクライナ外務省に入省しました。欧州安全保障協力機構（OSCE）ウィーン事務局のウクライナ政府常駐代表部に派遣された後に、2013年にはソ連時代から外交官であったコンスタンチン・フリシチェンコ副首相（それ以前は外務大臣）の補佐官となります。マイダンでの抗議活動に参加したのちに外務省を退職し、ウクライナ国内外で美術展などを開催する文化外交財団U

ARTの代表となりました。2014年6月にパブロ・クリムキン外相に請われ外務省に復帰、ウクライナのソフトパワー戦略や戦略的なコミュニケーションを担う無任所大使（特使）となりました。2016年4月、ポロシェンコ大統領により欧州評議会ウクライナ常駐代表に指名されました。

その後、ゼレンスキー政権下のホンチャルク内閣では、ウクライナのヨーロッパ大西洋統合担当の副首相に抜擢され、2020年3月4日からシュミハリ内閣の外務大臣にウクライナ史上最年少で就任しました。クレバは、文化広報に通じた多彩な経験を活かし、現在のウクライナ・ロシア戦争においても、国外に出られないゼレンスキーに代わり、バイデン大統領をはじめとする世界の指導者との会談を精力的にこなしています。

僕がクレバと初めて面会したのは、2015年11月、ウクライナ外務省の彼のオフィスでした。ウクライナ危機後、民間報道機関や政府機関などが自由に発言できる場として設置されたウクライナ危機メディアセンターにおける記者会見はできる限り見ていましたが、その中でもクレバは非常に印象的でした。東ウクライナの戦況や対ロシア外交政策について的確なコメントを出すだけではなく、文化広報政策も職務範囲であるので、

ウクライナ外務省にて、ドミトロ・クレバ氏と（2015年撮影）

服装が政治家や官僚とは思えないほど非常にお洒落でした。僕と彼との出会いも現代的であり、SNS上で偶然知り合い、挨拶などを交わしているうちに一度会おうという話になりました。

クレバのオフィスで2時間ほど話しましたが、まず、こちらから、ミンスク2停戦合意に従った憲法改正（地方分権化）の実現性と、東部のいわゆる「親露派」が賛同する見込みはあるか、聞いてみました。

彼の答えは「親ロシア勢力がOSCEのモニタリングを受け入れ、正当な監視ができる状態になるのなら、地方政府のオーソリティーを認めることにウクライナ政府は何も異論はない。ただし、これはドンバスの特別な地位を完全に認めるということではない。憲法改正で2者択一にするのではなくて、ドンバスを含めた幅広い学者などが集まってまずは仕組みについて議論する必要がある」とのことでした。また、地方分権化については、日本などどの国でも行っている形で行うのがよく、ウクライナだけ地方に特別な政権ができるようなやり方はおかしいとも強調していました。

次に、ウクライナがNATOまたはEUに加盟する見通しと具体的な動向について聞いてみました。クレバは、「NATOならびにEUのメンバーシップは、非常にリアリティーがあると考えている。ただ、異なったタイムラインで考える問題でもある。第一に、Unprecedented（前例のない）なことであるのでEU、ウクライナ双方にとって議論が必要だろう。第二に、ウクライナ側が改革に同意できるかにかかっている。個人的には改革は進んでいると考えている」と明快に答えました。少なくとも彼は2015年の時点でNATOやEUの加盟にかなりリアリティーを感じていたのです。

戦争は女の顔をしている

表2は2010年のヤヌコーヴィチ政権からゼレンスキー政権までの、女性副首相数、女性閣僚数をまとめたものです。

2013年までのウクライナ政界は完全な男性社会で、2004年のオレンジ革命の立役者の一人で、第3章でも紹介したユリヤ・ティモシェンコ元首相が例外だったと言っても過言ではありません。2010年に発足した第一次アザロフ内閣では女性は副首相、閣僚ともゼロでした。マイダン革命後の第一次ヤツェニューク内閣では一人が労働・社会政策大臣となっただけです。

続くフロイスマン内閣では、副首相のほか、農業政策・食品大臣、教育科学大臣、保健大臣、退役軍人担当大臣、財務大臣といった重要ポストに女性が就きました。ホンチャルク内閣で少し減ったものの、シュミハリ内閣では6名の女性が閣僚ポストに就いています。短期の閣僚交代の影響もあり、比率は下がっていますが、女性閣僚数ではウクライナの歴史上で最多です。

表2 マイダン革命前後のウクライナ歴代内閣の女性副首相・閣僚数

内閣	女性副首相数(比率)	女性閣僚数(比率)	備考:大統領
アザロフ(第一次)	0(0%)	1(2.5%)	ヤヌコーヴィチ
ヤツェニューク(第一次)	0(0%)	1(3.7%)	トゥルチノフ(代行) ポロシェンコ
フロイスマン	1(16%)	5(21.7%)	ポロシェンコ
ホンチャルク	0(0%)	3(17.6%)	ゼレンスキー
シュミハリ	3(75%)	6(13.9%)	ゼレンスキー

【出典】ウクライナ政府ポータルサイトなどを参照。
※副首相・閣僚数ともに延べ人数、また閣僚交代の場合も含めて算出。

4人の副首相の内3名が女性であり、比率にすると75%とこちらも最高です。その経歴も非常に興味深いです。第一副首相のユーリヤ・スヴィリデンコは1985年生まれで現在37歳、チェルニヒウ州政府でキャリアを積んだのち、2020年7月にウクライナの経済開発・貿易農業副大臣、12月末にはウクライナ大統領府副長官、2021年11月、第一副首相兼経済大臣に就任しました。

副首相のイリーナ・ヴェレシチュークはリヴィウ州出身で1979年生まれの現在43歳、リヴィウ国立大学法学部、ウクライナ大統領付属国家行政アカデミー・リヴィウ地方行政研究所で、行政学の准博士号を取得しています。ウクライナ軍の将校として5年間の勤務経験があり、その後、地方行政の経験やNGOを経て、2019年に最高会議議員に当選、国家安全保障・防衛・諜報関連委員会、国家安全保障および防衛に関する小委員会の委員長などを歴任しました。2021年11月に副首相兼一時的占領地域の再統合大臣となります。

同じく副首相のオリハ・ステファニシナはオデーサ出身で1985年生まれの現在37歳、キーウ国立大学国際関係研究所を経て弁護士資格を取得、2017年から内閣府事務局で欧州・大西洋統合担当局の局長を務め、2020年6月、欧州・大西洋統合政策担当副首相に任命されました。

この3名の副首相は、平均年齢39歳と非常に若く、また出身地も、チェルニヒウ、リヴィウ、オデーサとウクライナの北部、西部、南部とバランスよく配置されています。マイダン革命直後は女性の政界進出はあまり進んでいませんでしたが、副首相人事に代表されるように、ゼレンスキー政権はウクライナの歴史上もっともジェンダー・イクオリティーが進んだ政権と言えます。またオレーナ・ゼレンスカ夫人は、本年5月8日に、電撃的にウクライナのウジホロドを訪れたジル・バイデン大統領夫人とウクライナのファースト・レディとして会談しました。彼女が持つ発信力もゼレンスキー大統領の魅力の一つと言ってもよいでしょう。

ノーベル文学賞作家のスヴェトラーナ・アレクシェーヴィチの言葉を一部借りれば、今回の戦争は「女の顔をしている」と言えます。

多彩な大統領府長官・副長官・補佐官の構成

ゼレンスキーを囲む側近はどのような人たちでしょうか。ウクライナ大統領府長官・副長官11名の構成は、官僚5名（うち外交官2名）、軍・治安関係2名、法曹関係1名、実業界1名、PR会社1名、芸能関係1名です。また、大統領首席補佐官にはクバルタル95の脚本家・プロデューサーであったセルギー・シェフィルが起用されています。

その中でもアンドリー・イェルマーク長官の存在感が目立ちます。ゼレンスキーの自撮り配信や重要な場面での映像にも頻繁にイェルマークが写っていて、その影響力の大きさがうかがえます。イェルマークはウクライナ・ロシア戦争以前から、チャタムハウス（英王立国際問題研究所）や世界各地での講演を引き受け、また今回の戦争でも海外メディアのインタビューにも積極的に対応しています。

ＰＲ会社出身のキリロ・ティモシェンコもゼレンスキー政権での影響力は大きいです。トルコでの停戦協議にも参加し、ブチャ虐殺後、ゼレンスキーの横でイェルマークと並んで同市を視察したほか、４月23日に行われたキーウ地下鉄での各国メディアとの記者会見にも同席しており、仕掛け人の一人だと思います。

芸能関係者の側近が存在感を示す一方、歴代政権からの継続性があり安定感のある官僚や外交官なども多数配置されているのも特徴です。一例をあげれば、大統領府副長官のイーホル・ジョウクヴァは、２０１４年の移行政権ではオレクサンドル・シチ副首相補佐官、ポロシェンコ政権下では大統領府外交政策・欧州統合局長を歴任しました。２０１９年９月にウクライナ大統領府の副長官に任命されています。

セルギー・シェフィル氏（左から2番目）。左端はゼレンスキー大統領。東京、日本ウクライナ友好議員連盟朝食会にて（2019年撮影）

北京、「一帯一路フォーラム（ＢＲＦ）」メイン会場にて、クヴィブ副首相に同行していたジョウクヴァ氏（2017年撮影）

「東欧のシリコンバレー」と「スマホの中の国家」政策

ウクライナ・ロシア戦争が始まって以来、ミハイロ・フェドロフの動向については、日本のメディアでも高い関心が集まっています。

フェドロフは1991年にザポリージャ地方のヴァシリフカで生まれ、ザポリージャ国立大学社会学・経営学部で学びました。2015年から19年まで、彼はSMMSTUDIOの創設者兼CEOを務めています。2019年5月にデジタルドメインのウクライナ大統領外部顧問に就任。2019年の最高会議選挙で当選し、同年8月フェドロフは副首相兼デジタル改革担当相に任命され、デジタル変革省が設立されました。

その政策は「スマホの中の国家」と命名され、エストニアの電子政府化を更に発展させた画期的な内容でした。その中核となるのはスマートフォン・アプリケーションの「ディアDiiA」です。ディアとはウクライナ語の「国家と私」を略した造語です。

DiiAの主な目標は、100%公共サービスをオンラインで利用できるようにすることでした。2021年4月1日の時点で、約450万人のウクライナ人がDiiA2.0アプ

ヤルタ・ヨーロッパ戦略会議（キーウ）にて。前日、ゼレンスキー大統領との自撮りに失敗した筆者が、初めて自撮りをしたのはフェドロフ氏とである。（2019年撮影）

リケーションを使用しています。DiiAアプリでは、50を超える政府サービスがオンラインで利用できることが目的で、DiiA 2.0により、IDカード、外国の生体認証パスポート、学生カード、運転免許証、車両登録証明書、自動車保険証書、納税者番号、出生証明書などといった9つの電子証明書を表示することができます。

「スマホの中の国家」をかかげるゼレンスキー政権では他のIT企業家も登用されています。ベラルーシ、トルコ、およびオンラインでの停戦協議では、オレクシー・レズニコフ国防相、ミハイロ・ポドリャク大統領府顧問と並んで、緑のキャップ帽が印象的な人物がダヴィッド・アラハミアです。

サカルトヴェロ（ジョージア）系のアラハミアは1979年ソチに生まれ、ソ連崩壊後のアブハジア紛争をきっかけにチェルニヒウに移住します。ロンドンのオープン大学で専門的経営学の修士号を取得後、2002年にはIT企業Template Monsterを設立しました。2014年、東ウクライナでの戦闘が始まるとミコライウを拠点とする第79空挺旅団の募金サイトを立ち上げ、以後政治への関与を深めます。2014年8月以降、ミコライウ州行政長地域顧問、国防大臣の顧問などを歴任します。

ゼレンスキーの大統領就任後、2019年7月アラハミアはウクライナ国営防衛企業ウクロボロンプロムの監査役会のメンバーに任命されました。2019年7月21日の最高会議選挙では「国民の僕」党比例名簿4位に登載され、当選、8月29日、最高会議議員となり、現在は与党「国民の僕」党会派代表を務め、停戦協議には議会・与党を代表する形で参加しています。

スマホを持たずSNSもしないプーチンの戦争は、さながら戦車や装甲車両が進撃し、マリウポリでは最近では聞き慣れない「艦砲射撃」を行ったとも言われ、第二次世界大

ダヴィッド・アラハミア氏。こちらも筆者による自撮り。ヤルタ・ヨーロッパ戦略会議クロージングレセプションにて（2019年撮影）

戦を彷彿とさせる古いスタイルです。一方のゼレンスキーの戦争は、イーロン・マスクから提供されたスターリンクでネット通信を維持しつつ、ＳＮＳでの発信を得意とする21世紀型のスタイルと言えるでしょう。その背景のひとつには彼らＩＴ企業家の活躍と、「東欧のシリコンバレー」として国造りを続けてきたウクライナの姿があったのです。

おわりに――日本から見たウクライナ・ロシア戦争と今、僕たちにできること

僕は今、48歳です。40代後半に差し掛かると、ある人にとっては子育ても一段落し、またある人にとっては働き盛りを迎え、あるいは出世も頭打ちとなり新たな選択を迫られることもあるかもしれません。

人生の折り返し地点に差し掛かったこともあり、「第2の人生」を考える余裕がでる一方、ぽっかり空いた心の穴に忍び込むように、マルチ商法や新興宗教、過度な自己啓発、あるいは荒唐無稽な歴史観や陰謀論など「ハマってはいけない」ものにのめりこむ人もちらほら見受けられます。

この「第2の人生」をいい形でスタートさせるのは意外に難しいのかもしれません。まだ僕はそこに差し掛かっていませんが、最近、他の人から見れば大活躍されている初老の著名人の方が自ら命を絶たれるという痛ましい報道も多く、老後という第3の人生

を始めるのが難しいのも想像に難くありません。

そんな40代後半に大統領に就任したプーチンは、国民向けのパフォーマンスが得意なことで知られています。裸で馬に跨って外乗に出かけるかと思えば、大型バイクにも跨ってロシア愛国主義者とツーリング、トラの子供をなでるかと思えば、海にはいって泳ぐとイルカが寄ってくるというにわかには信じられない場面も多々見かけます。一方、加齢もあり、肉体も、容貌も衰えが目立ち始めて、近年はそういった類のパフォーマンスが減少気味でした。もしかすると、発信方法や発信力という面で、プーチンはゼレンスキーが持つ「若さ」に嫉妬しているのかもしれません。

そのプーチンの「心の穴」を埋めたのが歴史です。イヴァン・イリインといったほとんど忘れ去られていた亡霊のような国家主義的な歴史家の著作を読みふけっていたプーチンは、陰謀史観にのめり込み、昨年は自ら「ロシア人とウクライナ人の歴史的一体性」という論文をロシア語だけではなく、ウクライナ語で発表するまでに至ります。

その内容はウクライナ人の民族性を否定し、国家としてのウクライナの主権はロシアとともにでなければあり得ないといったものでした。2月24日の「特別軍事作戦」と詐称した事実上の戦争を始めるにあたっての約1時間の演説の大半は歴史的背景に費やされ、ウクライナの「非ナチ化」を訴えました。このプーチンの「妄想の歴史観」に基づいてウクライナを手中に収めたかったことが、ロシアによるウクライナ侵略の最大の原因と言っても過言ではありません。本当は、何度か気づかされてもいい場面がありました。2月7日にあり得ないほど長い机を挟んで約5時間も会談したマクロン仏大統領が、プーチンの話はイデオロギーと歴史が中心だったと明かしています。

今回の戦争が始まってから日本では国際政治やロシアの軍事などが専門の、新しい、そして優れた論者がメディアで活躍しています。ウクライナ研究会の副会長でもある東野篤子先生をはじめとする国際政治学者の方々や小泉悠先生にくわえ、防衛研究所の先生方の正確な戦況の分析も、この戦争だけではなくウクライナという国を理解する上で非常にありがたいです。

またtwitterなどネット上でも活躍される在野の研究家による高いレベルの発信も見られます。マスメディアでも、ロシアと長らく向き合ってきた駒木明義・朝日新聞論説委員のように、その蛮行に厳しくコメントされる方もいます。ウクライナ国営通信社の平野高志記者やキーウ・インディペンデントの寺島朝海記者といった現地から発信を続けるジャーナリストもいます。今年のピュリツァー特別賞が、ウクライナへのロシア侵攻を取材する「ウクライナのジャーナリストたち」に贈られましたが、もちろんこのお二人も受賞者なのは言うまでもありません。また、ボグダン・パルホメンコさんをはじめ、テレビやSNS上で、日本人と変わらない日本語で、現地の声を届けてくれるウクライナ人も大勢います。

一方、いまこそ学問と市民をつなぐ仲介役として、あるいはロシアやプーチン大統領の意図を知るために、その知見を活かすべきロシア政治の大家や同国と交流をしてきた人々の姿を、戦争が始まって少なくとも1カ月、ないし2カ月ほど、ほとんどお見かけしませんでした。もしかすると、衝撃のあまり、言葉も出なかったのかもしれません。

最近、やっとお姿をちらほら見るようになりましたが、最も必要とされた時期に、そのご意見が聞けなかったのは非常に残念でなりません。

実は、2014年のマイダン革命が起きたときは、今の日本の論壇の状況とは全く違いました。政変の日からウクライナのテレビ各局は、黒ずくめの特殊部隊装備で完全武装の正規部隊にしか見えない隊員がデモ隊を狙撃する映像を繰り返し放映していました。にもかかわらず、政変後、日本では「誰が最初の一発を放ったのか、反政府側ではないのか」といった盧溝橋事件でも彷彿とさせるような論調や「マイダン政権は、アメリカの資金援助を受けた右派セクターやスヴォボーダが引き起こし、彼らが主導する政権。マイダンの騒乱やスナイパーも彼らの自作自演」といったロシア政府のプロパガンダを100%鵜呑みにした論調が数多く見られました。それを、ロシアをご専門とする先生方が意気揚々とテレビなどでお話しされていました。ロシアのニュースか、よくてロシア人研究者や政府関係者からの情報のみをソースとする彼らの頭の中では、ロシア政府とマスコミが作り上げた陰謀論がぐるぐると回っていたのです。

ただ、残念ながらロシアのテレビがプロパガンダに満ちているということは、今ほど酷くはなかったので、この頃はあまり知られておらず、そのナラティブ（物語）は、世間一般にもすんなり受け入れられてしまいました。

また当時、大国間政治の力学のみで語られ、ウクライナ危機は「ウクライナ」という5文字のみで語られる論調も少なくありませんでした。これについてはロシアNIS経済研究所の服部倫卓所長が、２０１４年のウクライナ政変の際には「ウクライナ国内の権力闘争に、ロシア・ＥＵ・米国という大国が関与・介入することで、言わばレバレッジがかかった格好となり、これにより危機が何倍にも増幅され国際化してしまった……ウクライナ問題が、欧米露の介入するグローバル問題に転換してしまったことから、ウクライナ自体についての細かい話よりは、大国間政治の力学から語る方が、説得力を増した」と指摘しています。

そんな２０１４年の苦い経験もあってか、以前よりウクライナそのものを対象にした研究も盛んになり、博士号を取得する事例も見られるようになりました。またウクライナについての著作も少しずつですが増えました。

一方で、サイバー空間を飛び交うフェイクニュースやロシアが流すナラティブな言説に基づくウクライナについての「論考」や陰謀論もいまだ多々見られます。そんな中で、ウクライナの文化や歴史、また政治、経済に関わる基礎的な情報を知ることは同国の情勢を正確に理解するためには欠かせないと思い、印象論の域は出ませんが、僕にしか語れない個人的なエピソードも多々交えて、本書を書かせていただきました。


なぜ、いま、ウクライナは多くの犠牲者を出しながらも、核兵器を持つ圧倒的な軍事大国ロシアに抵抗するのでしょうか。

僕は、その理由は非常に簡単で「ウクライナ人がウクライナ人でなくなってしまう」からだと思います。

ウクライナでは、ロシア帝国やソ連の約300年の支配を通じて、10回以上ウクライナ語の使用禁止令が出されました。当然、ウクライナ語による教育も許されず、ウクライナ語、ロシア語の二重言語国家となりました。首都キーウ近郊のブチャでの虐殺では、ウクライナ語を話している人から順番に殺されたといいます。ロシア国営系のリアノーボスチ通信に4月上旬に掲載された論評では「非ナチ化は必然的に非ウクライナ化」だと主張しています。ウクライナ語を話すこともできなければ、「ウクライナ」という国名を名乗ることも許されない、「ウクライナ人」という存在すら消されてしまうかもしれない、彼らにとってはそうならないようアイデンティティーを守るための戦いなのです。

戦争が始まる前には、ロシアがウクライナの政治家や活動家の逮捕・暗殺リストを作成していたとの報道もありました。有力者だけではなくジャーナリスト、ロシア人・ベラルーシ人亡命者、少数民族、ＬＧＢＴＱＩＡ＋の人たちも含まれていたとされています。そういった危険が自分たち普通の市民にも及ぶかもしれないと、多くのウクライナ人は感じたのでしょう。

命をかけて日々闘うウクライナの人にはおこがましいかもしれませんが、戦争が始まった当初、僕も、ロシア寄りの傀儡政権ができた「ウクライナ」には二度と行けないかもしれないと覚悟しました。そう覚悟したおかげで、あまり得意ではなかったテレビの生放送に出演して、存分に解説する勇気も出たのかもしれません。何を大げさなと思われる方もおられるかもしれませんが、おそらくそのせいで、僕はロシア政府の入国禁止者リストに入ってしまい、もうロシアの地は二度と踏めなくなってしまいました。2009年から13年の5年間に16回も通ったドネツクにも、2014年以降行くことができなくなったので、僕にとっては二度目の悲しい経験です。ロシアに実効支配されている北方領土にも行くことはできないでしょう。もしかするとロシアの同盟国や友好国にも入国できないのかもしれません。

こんなことが起こるとは3カ月半前は思ってもみませんでした。「核兵器の使用」という言葉をはじめ、2月24日まで考えもしなかったことが今やウクライナや世界の各地で、さまざまな人に対して起こっており、世界が一変したようにも感じます。

さて、プーチン大統領は「現在のウクライナは、すべてソ連時代の発案によるものである。私たちは、それが歴史的なロシアの犠牲の上に作られたものであることを知っている」と述べています。プーチン大統領とそれを取り巻く歴史修正主義者の主張は、エビデンスなしで語られるナラティブ（物語）であるとともに、史料なしで創り出される陰謀論です。歴史研究や記述への尊敬の念すら感じられません。キーウ・ルーシ時代の教会や修道院が残る古都チェルニヒウを攻撃するだけでは飽き足らず、ソ連によるウクライナ人弾圧の貴重な史料を保管していたアーカイブも炎に包まれました。プーチン大統領にとって、ウクライナのＮＡＴＯ加盟問題は建前で、ウクライナ人の独自性と民族性を消し去りたいだけなのかもしれません。

「一体性」論文は発表後、ロシア軍兵士も読むように指示されましたが、ひょっとすると一部の兵士はその「妄想の歴史観」を信じてウクライナに侵攻し、ウクライナの「ナチス政権」に抑圧された「同族」であるウクライナ人から花束を渡され大歓迎されると思っていた者もいたのかもしれません。しかし、戦争が始まって間もない頃、ヘルソンで撮影されたとされる動画には、地元のウクライナ人女性に「占領軍ね、ファシスト！」と詰められ、「事態がこれ以上悪くならないようにしましょう、頼みます」と敬語で答えるロシア兵の姿が映っています。歓迎されるというロシア兵の淡い期待は裏切られ、その戸惑いは憎悪に変わって、マリウポリやキーウ近郊のブチャ虐殺のような暴力の連鎖に繋がったのだと思います。

残念なことにご都合主義の妄想の歴史観を信じるロシア人も少なくなく、現在、ロシア国内でプーチン大統領の支持率が80%を超えているのも事実です。

一方、日本でも、ロシアのフェイクニュースやプロパガンダにくわえて、ウクライナにまつわる陰謀論に毒されている人が多いです。一般市民は言うに及ばず、左翼知識人、ウクライナ駐在の経験がある元外交官、タレント、くわえて保守層の一部から与野党の国会議員にまで浸透しています。日本語で流されるロシアの偽情報やプロパガンダに基づいて、彼らは知らず知らずのうちにロシアが意図したような論調に導かれています。

対露制裁を強化するのは当然ですが、その前に、日本国内でロシア側が流す偽情報への対策が急務であると強く感じています。それには、研究者にくわえて、言論機関、そしてそれぞれの個人によるファクトチェック、つまり「知る」努力が不可欠です。

ウクライナ語学の世界的権威ミヒャイル・モーザー・ウィーン大学教授が会長を務め

る国際ウクライナ学会日本支部でもあるウクライナ研究会では、1994年の設立以来、ウクライナについてさまざまな分野の研究を行う日宇両国の研究者の研究報告が行われ、同国への理解を深めてきました。また、会員の中には、2020年にウクライナ研究会研究奨励賞を受賞された藤森信吉さんのように、沿ドニエストル共和国や2014年以降もドネツクを訪問しフィールドワークを行う気鋭の研究者もおられます。研究者だけではなく、ウクライナに駐在したことがある方や、黒川祐次、天江喜七郎、角茂樹元駐ウクライナ日本国大使方も会員です。この3月には、倉井高志前大使のご講演もあり、皆さんのご経験に裏打ちされた知見には学ぶことが多いです。本当のウクライナの姿についてもっと詳しく知りたいとお感じの皆さんにはぜひ一度、年2回以上開かれる例会にご参加いただければと思います。

最近、週末に放映されている主に芸人さんがパネリストのニュースバラエティーによく出演させていただいています。司会者やご出演の皆さんだけではなく、番組制作スタッフも、事前によく勉強されていて、いつも感心しています。最初に出演したとき、番組スタッフから「芸人さんがウクライナの戦争を語ることについて真面目さに欠けると視聴者から少なからず批判がある」というようなことを聞かされました。僕は非常に驚きました。芸人さんであれ、誰であれ、ウクライナで今起こっていることに関心を持つことは大切で、また尊いことであると思います。また、一つでも多くのテレビ番組がウクライナについて取り上げてくれるのは、本当にありがたいと感じています。

2014年以降、ウクライナではずーっと戦争が続いてきました。逆に言えば、この8年間、世界がそれについて無関心だったことが、プーチンに今回の戦争を決断させた背景の一つにあるのかもしれません。毎日、ウクライナの悲惨な映像を見ていると、どうしても見るのも嫌になってくることもあるでしょう。もしかして長期化すると関心も薄れてくるかもしれません。その意味では、多くの人がウクライナに関心を持ち、プーチンやロシアに対して抗議の声を上げ続けることが、この戦争を終わらせる近道だと僕は信じています。

いま、ウクライナの戦争を終わらせるために我々ができることは何でしょうか。それぞれの立場や住んでいる場所や環境でできることは違うと思います。寄付をするのもいいでしょう。ありがたいことにさまざまな国際的な団体やウクライナ大使館、政府も寄付の窓口を設けているので、自分が一番支援したい分野を選ぶこともできます。心を込めてウクライナカラーの折り紙で鶴を折って、それを見るたびにウクライナの平和を祈るだけでも構わないと思います。今の時代、現物は送れなくても写真をとってウクライナ語の言葉を添えてSNSに投稿すれば現地には届けられます。名画『ひまわり』の上映会を開いたり、鑑賞するだけでもいいでしょう。

もう少し状況が落ち着けば、実際にウクライナに行ってボランティアに参加してもいいですし、長い目で見れば平和が戻ったウクライナを頻繁に訪れて、現地にお金を落としながら文化や歴史への理解をさらに深めるのもいいでしょう。読者の皆さんも、何か自分にできることがないだろうか。そんな思いでこの本を手にされたのではないでしょうか。

本当は、ウクライナでは8年間、戦争が続いてきました。「関心を持ち続ける」、そして「忘れない」ことが一番の支援ではないでしょうか。
なぜなら、皆さんの心の中には、すでに「ウクライナ」という言葉があるのですから。

写真：Alamy／アフロ

岡部芳彦（おかべよしひこ）

1973年9月9日、兵庫県生まれ
神戸学院大学経済学部教授、同国際交流センター所長
博士（歴史学）[中部大学：2021年]、博士（経済学）［神戸学院大学：2015年］
ウクライナ国立農業科学アカデミー外国人会員
ウクライナ研究会（国際ウクライナ学会日本支部）会長
主な受賞歴：ウクライナ内閣名誉章（2021年）、ウクライナ最高会議章（2019年）、ウクライナ大統領付属国家行政アカデミー名誉教授（2019年）、ウクライナ国立農業科学アカデミー名誉章（2017年）、名誉博士（ウクライナ国立農業科学アカデミー・アグロエコロジー環境マネジメント研究所第68号、2013年）

本当のウクライナ
訪問35回以上、指導者たちと直接会ってわかったこと

著者　岡部芳彦

2022年7月5日　初版発行

発行者　横内正昭
編集人　内田克弥
発行所　株式会社ワニブックス
〒150-8482
東京都渋谷区恵比寿4-4-9えびす大黒ビル
電話　03-5449-2711（代表）
03-5449-2734（編集部）

装丁　小口翔平＋後藤司（tobufune）
フォーマット　橘田浩志
校正　東京出版サービスセンター
編集　大井隆義（ワニブックス）

印刷所　凸版印刷株式会社
DTP　株式会社 三協美術
製本所　ナショナル製本

定価はカバーに表示してあります。

ISBN 978-4-8470-6676-4
ワニブックスHP　http://www.wani.co.jp/
WANI BOOKOUT　http://www.wanibookout.com/
WANI BOOKS NewsCrunch　https://wanibooks-newscrunch.com/